André Schiffrin
Verlage ohne Verleger

André Schiffrin   *Verlage ohne Verleger*

Über die Zukunft der Bücher

Mit einem Nachwort von Klaus Wagenbach
Aus dem Amerikanischen von Gerd Burger

Verlag Klaus Wagenbach   Berlin

Eine veränderte Fassung erschien unter dem Titel *The Business of Books* bei Verso (London und New York, 2000).

Wagenbachs Taschenbuch 387
4.–5. Tausend November 2000

© 2000 André Schiffrin
© 2000 für die deutsche Fassung: Verlag Klaus Wagenbach, Emser Straße 40/41, 10719 Berlin. Umschlaggestaltung Groothuis & Consorten unter Verwendung eines Bildes von Micheline Pelletier. Die Karnickel auf Seite 1 zeichnete Horst Rudolph. Gesetzt aus der Walbaum Standard von der Offizin Götz Gorissen, Berlin. Gedruckt und gebunden von Pustet, Regensburg. Printed in Germany
Alle Rechte vorbehalten. ISBN 3 8031 2387 9

Inhalt

Sieht man einmal von Lebenserinnerungen ab, die (das gilt auch für diese hier) allemal verdächtig bleiben müssen, ist über die Geschichte des Verlagswesens bislang nur sehr wenig geschrieben worden. Das Büchermachen ist aber von jeher ein Mikrokosmos der Gesellschaft, in die es eingebettet ist, und spiegelt ihre globalen Entwicklungstendenzen, während es gleichzeitig bis zu einem gewissen Grade die Denkweisen und Konzepte der Gesellschaft prägt – genau diese Verquickung macht das Thema so spannend. Überdies hat das Verlagswesen in den letzten Jahren eine radikale Umwandlung erfahren; Zug um Zug hat es sich in allen Ländern von einem vergleichsweise kunsthandwerklich definierten Gewerbe nach dem Muster des 19. Jahrhunderts zu einer Industrie gemausert, in der Großunternehmen den Ton angeben und Mischkonzerne gigantische Tochterunternehmen in der Unterhaltungs- bzw. Informationsbranche besitzen.

Im 20. Jahrhundert hielt man es – auch wenn Orwells *1984* und Huxleys *Brave New World* sehr hellsichtig eine Welt ausmalten, in der dies eines Tages geschehen würde – durchaus nicht immer mit der Annahme, daß das breite Publikum ausschließlich nach Unterhaltung verlange. Sowohl in Europa als auch in Amerika bemühte man sich in den zwanziger und dreißiger Jahren nach Kräften, um mit anspruchsvollen Büchern ein Massenpublikum anzusprechen – der englische Verlag Penguin Books war ein typischer Vertreter dieses offen politischen, kritischen linken Standpunkts, dem es darum ging, den Massen Wissen und zugleich kurzweilige Lektüre zu vermitteln. Dann kam der

7

Zweite Weltkrieg, und sehr schnell wurde das Verlagswesen in allen nicht von den Nazis besetzten Staaten in die allgemeine Mobilmachung der Bevölkerung eingebunden. Auch den Büchermachern ging es jetzt primär um die ideologische Unterstützung des Kriegseinsatzes und erst in zweiter Linie darum, den Soldaten und Fabrikarbeitern Unterhaltsames anzubieten. Nach dem Krieg hielt sich diese ursprüngliche, optimistische Verknüpfung von Belehrung und Unterhaltung bis etwa zum Beginn des Kalten Kriegs, ab diesem Zeitpunkt schlossen die Verlage dann immer enger zu den Vorreitern in den übrigen Medien auf, die an der Klärung der Frontlinien in einer zunehmend polarisierten Welt arbeiteten.

Nach dem Ende des Kalten Krieges fand in der Verlagswelt kein nennenswertes Umdenken statt, für die anderen Medien gilt dies erst recht. Statt dessen läßt sich die Herausbildung einer neuen Ideologie konstatieren, die mittlerweile der alten Polarisierung westliche Demokratien versus Ostblock klar den Rang abgelaufen hat. Zug um Zug sind der felsenfeste Glaube an den Markt und an seine Befähigung zur Eroberung der Welt sowie die Bereitschaft, ihm alle übrigen Werte zu opfern, zum neuen Markenzeichen des Verlagswesens geworden – und zwar nicht allein im Westen, sondern zunehmend auch in den ehemals kommunistischen Staaten, ja sogar in manchen der Länder, die (wie beispielsweise China) formal noch immer zu den alten kommunistischen Imperien zählen.

Eine erschöpfende Darstellung all dessen, was sich im Verlagswesen der einzelnen Länder im Verlauf der letzten hundert Jahre an Veränderungen ergeben hat, wäre eine unmöglich zu bewältigende Aufgabe. Statt dessen will ich versuchen, einen kleinen, aber wie ich hoffe aussagekräftigen Ausschnitt des Ganzen zu beschreiben – nämlich das, was ich in meinen nunmehr beinahe fünfzig Jahren im Verlagswesen erlebt sowie aktiv mitgestaltet habe: Ich bin Augenzeuge der Entwicklung, die ich soeben skizziert habe. Anfang der vierziger Jahre half mein Vater in den USA mit bei der Gründung eines kleinen Exilverlags, der den Namen Pantheon Books trug und in den zwanzig Jahren seines Bestehens als unabhängiges Unternehmen einen beträchtlichen Teil der europäischen Literatur nach Amerika importierte. In meiner Kindheit und Jugend bekam ich Wohl und Wehe des Verlags hautnah mit, und später trat ich – aus Gründen, die ich noch erläutern werde – unerwartet in die Fußstapfen meines Vaters. Die dreißig Jahre, die ich anschließend als Verleger bei Pantheon Books gearbeitet habe, sind ein gutes Beispiel für die Verdienste wie auch für das Versagen des Systems unabhängiger Verlagshäuser, wie es sowohl in Westeuropa als auch in den Vereinigten Staaten bestand – bis es schließlich als nennenswerte Größe ausgelöscht wurde.

Bevor ich bei Pantheon einstieg, hatte ich für die New American Library, den amerikanischen Nachfolger der englischen Penguin Books, gearbeitet – einen der großen US-Taschenbuchverlage, die ein Massenpublikum bedienen. Was ich dort an Erfahrungen gemacht habe, prägte meinen Blick auf die radikale Umwälzung des Verlagswesens in Richtung auf ein breites Publikum, wie es speziell in den USA und in Großbritannien existierte und meiner Ansicht nach ein wichtiges Kapitel zur Geschichte der Massenkultur beisteuerte. Schließlich, nachdem ich bei Pantheon ausgeschieden war, habe ich einen kleinen unabhängigen Verlag mit Namen The New Press gegründet – und die ersten Jahre dieses Verlagshauses zeigen eine mögliche Alternative zur zunehmenden Beherrschung des Verlagswesens durch große Mischkonzerne, wie ich sie im folgenden beschreiben werde. Obwohl ich meinen Überlegungen so viel wie irgend möglich auch fremde Erfahrungen zugrunde legen werde, fußt ein Gutteil der Darstellung auf meiner eigenen Berufserfahrung nebst den Lehren, die man meines Erachtens daraus ziehen kann.

Mit Fug und Recht läßt sich sagen, daß die Verlagswelt überall auf der Welt im Laufe der letzten zehn Jahre tiefgreifendere Veränderungen durchlaufen hat als in den hundert Jahren zuvor. Am krassesten zeigt sich dieser Umbruch in den englischsprachigen Ländern, die in vieler Hinsicht als Musterbeispiel für das dienen können, was im Verlagswesen in den kommenden Jahren vermutlich weltweit geschehen dürfte. Bis noch vor wenigen Jahren war die Buchbranche im Grunde ein eher kunsthandwerkliches Gewerbe, betrieben von Verlagshäusern, die sich meist in Familienbesitz befanden, in verhältnismäßig kleinem Maßstab operierten und sich mit den bescheidenen Gewinnen aus einem Geschäft zufriedengaben, das noch immer eine enge Verbindung zum Geistes- und Kulturleben des jeweiligen Landes unterhielt. In den letzten Jahren aber wurde ein Verlag nach dem anderen von großen, international tätigen Mischkonzernen aufgekauft – denken wir an England und die USA, so besitzen diese Mischkonzerne in aller Regel zugleich umfassende Beteiligungen in den Massenmedien bzw. in der Unterhaltungsindustrie oder aber in dem, was heutzutage Informationsindustrie genannt wird. Nach dem Aufkauf schnallten die Planer der Großkonzerne die Verlage auf ein Prokrustesbett, um sie gewaltsam dem einen oder aber dem anderen Raster anzupassen; ist der Aufkäufer primär im Entertainment aktiv, kappt man in den Verlagen die Abteilungen, in denen Bücher mit ernsterem Anspruch oder Lehrbücher verlegt werden, liegt der Schwerpunkt des Großkonzerns dagegen auf der Informationsvermittlung, stößt man alsbald die Publikumsverlage ab.

Näheres über diesen Prozeß wird der Leser in späteren Kapiteln erfahren; vorerst ist nur wichtig, darauf hinzuweisen, wie groß das Verlagsgeschäft inzwischen geworden ist. 1998 wurden in den Vereinigten Staaten von Amerika knapp 2,5 Milliarden Bücher verkauft, weit mehr als in jedem anderen westlichen Land. Der Gesamtwert dieser Bücher belief sich auf rund 21 Milliarden Dollar, was in etwa dem Sechsfachen des Gesamtwerts aller in Frankreich verkauften Bücher entspricht, der 1997 bei 14,4 Milliarden Francs lag. Diese Relation ist an sich nicht weiter überraschend, da in den USA rund sechsmal so viele Menschen leben wie in Frankreich. Interessant ist aber, daß in den USA 1998 insgesamt rund 70000 Titel verlegt wurden, in Frankreich im selben Jahr dagegen rund 20000. In Finnland, um noch ein Beispiel zu nennen, wurden 1997 insgesamt 13000 Titel veröffentlicht, darunter 1800 im Bereich Belletristik. Mit anderen Worten: Die US-Verlage haben sich auf eine geringere Anzahl von Titeln mit dafür höheren Auflagen und höheren Verkaufszahlen konzentriert – exakt das, was die neuen Eigentümer gerne sehen.

In der Vergangenheit war es eine große Zahl von Verlagshäusern, die in den USA Bücher produzierten. Zwar erfaßt die Library of Congress auch heute noch rund 50000 Verlage, die pro Jahr ein Buch oder mehr veröffentlichen, doch sind nur etwa 5% von ihnen, nämlich 2600 Verlage, von der »Association of American Publishers« anerkannt, außerdem kommen heute 80% aller in den USA verlegten Buchtitel aus den fünf großen Mischkonzernen, die inzwischen den Großteil des nordamerikanischen Verlagswesens kontrollieren.

In Frankreich ist im Verlagswesen ebenfalls ein hohes Konzentrationsniveau erreicht, hier zeichnen die beiden größten Häuser – Hachette und Havas CEP Communication – für rund 60% sämtlicher Neuerscheinungen verantwortlich. Der wesentliche Unterschied zwischen den beiden Ländern taucht in den Statistiken aber gar nicht erst auf: der Stellenwert und die Qualität der veröffentlichten Bücher. In Frankreich werden viele der wichtigen Bücher nach wie vor in Verlagen verlegt, die unabhängig bzw. in Familienbesitz sind. Die renommiertesten Namen – Gallimard, Le Seuil, Editions de Minuit, Flammarion – konnten sich dem Zugriff der großen Mischkonzerne bislang entziehen (vermeiden es allerdings zum Teil nicht, größere Aktienpakete an sie abzugeben). Folgerichtig hat sich die Gesamtsituation des französischen Verlagswesens nicht ganz so drastisch verändert wie in den Vereinigten Staaten. Denn dort (und in etwas abgemilderter Form in Großbritannien) verrät der Blick in die Kataloge der Verlage immer deutlicher das Profitdiktat. Mehr und mehr Bücher werden ganz offenkundig nur deshalb verlegt, weil man meint, daß sie sich gut vermarkten lassen, und immer weniger Titel stehen für jene gewichtigen intellektuellen bzw. kulturellen Beiträge, auf die früher kein Verlag in seinem Programm verzichtet hätte. Diese Akzentverschiebung geht so weit, daß sich bei mir mittlerweile mehr als nur ein Buchkritiker darüber beschwert hat, er könne das komplette Verzeichnis der Neuerscheinungen eines Großverlages durchgehen und nicht ein einziges Buch entdecken, das eine ernsthafte Besprechung verdient hätte.

Das vorliegende Buch handelt davon, wie dieser Wandel zustandekam. Doch bevor sich der Umbruch im einzelnen beschreiben läßt, sollte man sich noch einmal das Verlagswesen vergegenwärtigen, wie es im 20. Jahrhundert durchweg bestanden hat. Und dabei feststellen, daß zu dieser Zeit unabhängige Verlage in Amerika nicht nur imstande waren, ein breites Spektrum von Titeln zu veröffentlichen, sondern diese Bücher auch noch in Mengen verkaufen konnten, die – vergleicht man sie einmal mit den Zahlen der Bevölkerungsstatistik – selbst noch die Bestseller von heute vielfach in den Schatten stellen. Die Infrastruktur der kleinen Verlage und unabhängigen Buchläden schaffte es demnach ohne weiteres, effizient ein sehr großes Publikum zu erreichen. Die Veränderungen, die wir in den letzten Jahren im Buchwesen erlebt haben, sind also keineswegs aus der Notwendigkeit höherer Effizienz oder besserer Umsatzzahlen heraus zu erklären, sondern sie resultieren schlicht und einfach aus dem Wandel der Besitzverhältnisse und aus den neuen Zielvorgaben der Großverlage. Da ich dieses Buch ursprünglich für französische Leser geschrieben habe, möchte ich gerne mit einem vergleichsweise untypischen Beispiel beginnen, nämlich mit einem europäischen Verlag, den es während des Zweiten Weltkriegs ins ferne Amerika verschlug.

Ein Buch über das Verlagswesen zu schreiben, fällt mir auch deswegen nicht leicht, weil ich das Gefühl nicht loswerde, daß dies an sich mein Vater Jacques Schiffrin hätte übernehmen sollen. Der war zwar ein paar Jahre vor der Jahrhundertwende in Rußland zur Welt gekommen, aber unmittelbar nach Ende des Ersten Weltkriegs nach Frankreich ausgewandert, wo er in den zwanziger Jahren mit dem Verlegen und Übersetzen von Büchern anfing. Mit knappstem Budget versuchte er zunächst, französische sowie russische Klassiker herauszugeben, parallel dazu übersetzte er gemeinsam mit seinem Freund André Gide eine Reihe von Klassikern der russischen Literatur ins Französische – Ausgaben, die bis heute im Handel sind. Mein Vater nannte seinen Verlag *Les Editions de la Pléiade* und hob dann in den dreißiger Jahren die mittlerweile berühmte *La Pléiade*-Sammlung der Klassiker der Weltliteratur aus der Taufe, deren Ziel es war, den Lesern die Werke der Weltliteratur zu einem erschwinglichen Preis zugänglich zu machen. Heute gelten diese Bände als luxuriöse Ausgaben, aber anfangs hatte man sich primär vorgenommen, eine vergleichsweise billige und leicht zugängliche Sammlung definitiver Textausgaben vorzulegen. Die frühen Bände der Reihe wie beispielsweise die gesammelten Werke von Proust waren nicht viel teurer als der Preis für seinerzeitige Taschenbuchausgaben.

Die Klassikerreihe war derart erfolgreich, daß die begrenzten Geldmittel, über die mein Vater verfügte, schon bald nicht mehr ausreichten. Er verhandelte also mit der Familie Gallimard und schloß sich ihrem Verlag im Jahre

1936 an, um dort in ungleich soliderem finanziellem Rahmen die *La Pléiade*-Bände zu betreuen. Und natürlich war er bei diesem Schritt davon ausgegangen, bei Gallimard den Rest seines Berufslebens in der Buchbranche zu verbringen. Der Krieg vereitelte dies, da mein Vater wie die Mehrzahl seiner Altersgenossen zunächst einmal in die französische Armee eingezogen wurde. Bald nach der Besetzung Frankreichs mußte er dann feststellen, daß Otto Abetz, der neue »Botschafter« Deutschlands, eine Liste von Personen – in erster Linie Juden – mit sich führte, die es aus dem kulturellen Leben Frankreichs auszugrenzen galt. Der Name meines Vaters stand ziemlich hoch oben auf dieser Liste, und so erhielt er am 20. August 1940 einen Brief von Gallimard, der dem Empfänger in einer einzigen Zeile mitteilte, daß er mit sofortiger Wirkung entlassen war. Auch wenn dieser Schritt unter unmittelbarem Zwang der deutschen Besatzungstruppen erfolgte, war der Rausschmiß etwas, das die Familie Gallimard verständlicherweise zu vergessen vorzog; viele Jahre lang erfolgte keinerlei Hinweis darauf, daß mein Vater *La Pléiade* zu Gallimard gebracht hatte und anschließend vor die Tür gesetzt wurde. Die näheren Details dieser und anderer Ereignisse lassen sich übrigens in der exzellenten Geschichte des französischen Verlagswesens zur Zeit der deutschen Besatzung (Pascal Foché, *L'édition française sous l'occupation*. Paris 1994) nachlesen, die nur allzu deutlich macht, wie sich die französischen Verlage insgesamt in diesen dunklen Jahren verhielten.

Als im Ausland geborener Jude, der obendrein bereits ein erstes Mal explizit von Abetz ins Visier genommen worden war, kam mein Vater begreiflicherweise zu dem Schluß, daß ein weiterer Verbleib in Frankreich für ihn gefährlich sein mußte. Nach der Entlassung aus der Armee widmete er daher das ganze darauffolgende Jahr seinen verzweifelten Bemühungen um Visen, Ausreisegenehmigungen und Fahrkarten in sichere Gefilde. Diese Odyssee führte unsere Familie über die klassische Route aus dem nördlichen, besetzten Teil Frankreichs in die noch nicht besetzte Zone, wo wir einige Monate lang in einer Wohnung in St. Tropez lebten, die ursprünglich unser Feriendomizil gewesen war. Zuletzt gelang dank des Eingreifens des amerikanischen Sondergesandten Varian Fry die Ausstellung aller benötigten Papiere, und so verließen wir im Frühjahr 1941 Marseille per Schiff in Richtung Casablanca. Die meisten unserer Mitreisenden waren deutsche Emigranten, und ich erinnere mich noch gut an die für die Zollkontrolle auf dem Oberdeck bereitgestellten Fächer voller Pässe, auf deren Deckblatt fast ausnahmslos das Hakenkreuz prangte. Scheinheiligerweise wurde seitens der französischen Regierung behauptet, die Hotels von Casablanca wären dem Ansturm der Flüchtlinge unmöglich gewachsen, weshalb die Emigranten in der Wüste interniert werden müßten – mit anderen Worten unter katastrophalen Bedingungen. Nur dank der Intervention von André Gide, der uns in Casablanca seine Wohnung überließ, was uns der Auflagen der Vichy-Behörden enthob, blieben uns die Konzentrationslager in der Wüste erspart, die das Vichy-Regime zuvorkommenderweise für die Flüchtlinge vorgesehen hatte. Nach einigen Monaten des Wartens reisten wir weiter nach Lissabon und von da aus weiter nach New York, wo mein Vater binnen weniger Monate die Herausforderung auf sich nahm, einen neuen Verlag zu gründen – einen unbekannten Verlag in einem fremden Land, der noch dazu auf französisch veröffentlichte.

1941 lebte in New York bereits eine kleine französische Kolonie; sie bestand vorwiegend aus Leuten, die schon vor dem Krieg nach Amerika gekommen waren und vorwiegend in der Gastronomie und sonstigen kleinbürgerlichen Berufen tätig waren. Zu ihnen gesellte sich jetzt eine kleine Gruppe exilierter Intellektueller und Politiker, die ihre Opposition gegen das Vichy-Regime in der Regel weitaus entschlossener betrieben als ihre schon früher ausgewanderten Landsleute. Wie nicht anders zu erwarten, ergab sich schnell eine entsprechende Spaltung in der französischen

Gemeinde; auf der einen Seite standen die Leute, die es mit Pétain hielten und die man wie viele ihrer Landsleute in Frankreich am besten als *attentistes* bezeichnen könnte, auf der anderen Seite focht die kleine Schar derjenigen, die sich entweder zu de Gaulle oder aber zu Giraud bekannten. Ihre Zahl und ebenso ihr Einfluß waren gering, selbst wenn sich schon bald Leute wie Claude Lévi-Strauss, Georges Gourevitch und andere im Zuge der Gründung der Exiluniversität an der New Yorker New School for Social Research unüberhörbar zu Wort melden sollten.

Die Rockefeller-Stiftung und andere Institutionen setzten alles daran, französischen Gelehrten Einreisevisa zu verschaffen und sie dann an amerikanischen Universitäten unterzubringen. In der Mehrzahl scheiterten diese Bemühungen an zwei Dingen: Zum einen war das State Department entschlossen, die Anzahl der Flüchtlinge aus Europa möglichst klein zu halten, koste es, was es wolle (all das läßt sich im einzelnen in David Wymans Buch *The Abandonment of the Jews*, dt. *Das unerwünschte Volk – Amerika und die Vernichtung der europäischen Juden* nachlesen), zum anderen biß man an den amerikanischen Hochschulen auf Granit, weil auch dort vehement antisemitischer Protest laut wurde. Die renommierten Universitäten wie beispielsweise Harvard, von denen man an sich erwartet hätte, sie würden geflohene Wissenschaftler mit offenen Armen empfangen, setzten sich im Gegenteil ganz massiv mit unverhohlen fremdenfeindlich und antisemitisch formulierten Einwänden gegen die Vergabe von Dozenturen an Exilanten zur Wehr.

Trotz aller Quoten und sonstiger Hindernisse gelangten in den späten dreißiger Jahren und sogar auch noch nach Beginn des Kriegs in Europa Hunderttausende von Flüchtlingen nach Amerika. Die größte Anzahl – rund 300000 Personen – stellten Flüchtlinge aus Deutschland und Österreich, unter ihnen auch eine Reihe renommierter deutscher Verleger, von denen mehrere im Exil einen eigenen Verlag zu gründen versuchten. Manche der emigrierten

Verlagsleute taten dies in Mexico City, das Gros aber siedelte sich in New York an. Einige wenige von ihnen – so etwa die Mitglieder der Familie Fischer – veröffentlichten in deutscher Sprache, andere wagten sich an die Gründung neuer Verlage, die auf englisch publizieren wollten und manchmal völlig andere Schwerpunkte setzten, als sie es in Deutschland getan hatten. Abraham Kahan zum Beispiel, der Verleger des Berliner Verlagshauses Petropolis, das sich in den zwanziger Jahren in ganz Europa mit seinen Veröffentlichungen der Werke russischer Emigranten dieser Epoche einen Namen gemacht hatte, übernahm plötzlich in Reinkarnation die Leitung des neugegründeten Verlags International University's Press, der sich auf psychoanalytische Schriften der Freud-Nachfolge spezialisierte. Kurt Wolff wiederum, seit den zehner Jahren einer der anerkanntesten deutschen Verleger und insbesondere für seine Erstveröffentlichung der Romane und Erzählungen Kafkas gerühmt, rief in New York gemeinsam mit seiner Frau Helen und einem amerikanischen Geschäftspartner den Verlag Pantheon Books ins Leben.

Die Anzahl der emigrierten Verleger, Journalisten und sonstiger Medienleute, die den Weg nach New York geschafft hatten, war zwar begrenzt, trotzdem hatte mein Vater zum Teil dieses Publikum vor Augen gehabt, als er sich an der Herausgabe einer Reihe von Büchern versuchte, die gerade klandestin in Frankreich gedruckt worden waren. Mit ein bißchen Geld, das er sich von Freunden geborgt hatte, brachte er unter seinem eigenen Namen eine Reihe von Büchern heraus, die der amerikanischen Öffentlichkeit erstmals die Schriften der französischen Résistance zugänglich machten. So veröffentlichte er Vercors' Novelle *Le silence de la mer* in New York, kurz nachdem die britische Luftwaffe viele Exemplare dieses Buchs über Frankreich abgeworfen hatte. Als weitere Publikationen aus dem Kreis der französischen Widerstandsbewegung sind Joseph Kessels *L'armée des ombres* und Aragons Gedichte zu nennen, die als Taschenbuchausgaben mit einem seinerzeit für die

USA sehr ungewöhnlichen, aus Frankreich übernommenen Format veröffentlicht wurden. Dank dieser Bücher konnten die in der neuen Welt gestrandeten Franzosen ein Stück weit nachvollziehen, was gerade in Europa geschah, und da dies auch noch andere Leute interessierte, wurden die Rechte für Lizenzausgaben dieser Titel schon bald an lateinamerikanische Büchermacher vergeben, die ähnliche Ziele vor Augen hatten. So verfolgte beispielsweise in Buenos Aires Victoria Ocampo und der von ihr geleitete Verlag Ediciones del Sur sehr aufmerksam, was die Emigranten in New York veröffentlichten.

Kurz nach der Gründung von Pantheon tat mein Vater sich 1942 mit Kurt Wolff zusammen. Pantheon hatte bereits damit begonnen, einige Bücher von unbestritten hohem literarischem und kulturellem Rang sowohl in englischer als auch in deutscher Sprache zu veröffentlichen; deutsche bzw. österreichische Autoren wie beispielsweise Hermann Broch wurden parallel in deutschen und englischen Ausgaben herausgebracht. Dabei ergab sich manch sonderbare Diskrepanz – so waren etwa die 1500 Exemplare der deutschsprachigen Erstauflage von Brochs *Der Tod des Vergil* auf Anhieb ausverkauft, während es bei der englischen Übersetzung *The Death of Vergil* weit über fünfundzwanzig Jahre dauern sollte, bis dieselbe Zahl ihre Leser gefunden hatte. Doch wie auch die aktuellen Verkaufsziffern ausfielen, die Büroräume des Verlags am Washington Square bildeten für die Emigranten in New York eine Oase der Glückseligkeit, stilvoll in einer der prachtvollen Stadtvillen untergebracht, die früher die Südseite des Parks begrenzten. Hier, übrigens in nächster Nähe zu dem Haus, in dem einst Henry James gewohnt hatte, zerbrach sich ein kleiner Zirkel von Emigranten eifrig den Kopf darüber, welche Facetten des Kulturlebens Europas für die neuen Nachbarn in Amerika von Interesse sein könnten.

Insgesamt betrachtet, hielten sich die frühen Erfolge von Pantheon in Grenzen. Aus Tunesien schickte Gide seine

Interviews Imaginaires sowie seinen *Thésée*, die beide – genau wie Camus' *L'étranger* – in der von meinem Vater betreuten französischsprachigen Reihe erstveröffentlicht wurden. In analoger Weise versuchten sich Kurt und Helen Wolff an der Veröffentlichung sehr unterschiedlicher Beispiele deutscher Kultur; so brachten sie etwa die Gedichte von Stefan George in einer zweisprachigen Ausgabe heraus, ein Buch, das – wie man sich unschwer denken kann – allenfalls von einer Handvoll Amerikaner gelesen wurde. Unterm Strich gesehen war es so, daß zwar sowohl die französischsprachigen als auch die deutschsprachigen Leser begeistert die Bücher kauften, die für sie veröffentlicht wurden, dieser Abnehmerkreis aber eben doch nur sehr klein war, während die amerikanische Öffentlichkeit noch nicht einmal ansatzweise bemerkte, welch respektable verlegerische Leistung die emigrierten Verlagsleute in ihrer neuen Heimat zustande brachten.

Nach ein paar Jahren war die von Pantheon herausgegebene Reihe europäischer Klassiker also einer kleinen Gruppe erfreuter Leser somit zwar bestens bekannt, trotzdem fand der Verlag ein nach wie vor nur sehr begrenztes Echo. An diesem Punkt kam unerwartete Hilfe von Mary Mellon, der Frau des Multimillionärs Paul Mellon aus der Pittsburgher Stahl- und Bankdynastie, dessen Vater Andrew Mellon unter drei Präsidenten Finanzminister gewesen war und 1937 (neben u. a. dreiundzwanzig Rembrandts, sechs Vermeers und sonstigen Gemälden) immerhin fünfzehn Millionen Dollar für die Errichtung der amerikanischen National Gallery in Washington D.C. gestiftet hatte. Mary Mellon hatte bei C.G. Jung eine Psychoanalyse gemacht und eines Tages beschlossen, ihrem Analytiker zu Ehren eine Buchreihe zu starten, in der zunächst Jungs Werke und ergänzend die Arbeiten bekannter Jungianer, von denen viele in den Vereinigten Staaten im Exil lebten, auf englisch veröffentlicht werden sollten.

Gestützt auf die Zuwendungen der Mellons begann man bei Pantheon Books mit der Herausgabe der »Bollingen

Series«, benannt nach dem Dorf in der Schweiz, in dem Jungs Landhaus stand. Und obwohl die Titel dieser vorwiegend aus Originalausgaben bestehenden Buchreihe hochwissenschaftlich und intellektuell sehr anspruchsvoll waren, sollte den Bollingen-Bänden in den darauffolgenden Jahren völlig unerwartet eine wichtige Rolle im amerikanischen Kulturleben zukommen. Denn da sowohl Kurt Wolff als auch mein Vater enge Verbindungen zu vielen ins Exil gegangenen Gelehrten unterhielten, bemühten sich beide, die Arbeiten von mit ihnen befreundeten Emigranten zu veröffentlichen, wo immer sich eine Integration der Bücher in den inhaltlichen Rahmen der Bollingen-Serie vertreten ließ. So stammte zum Beispiel einer der ersten Titel der Bollingen-Reihe aus der Feder von Max Raphael, einem bedeutenden marxistischen Kunstkritiker, kurz darauf steuerte Rachel Bespaloff eine *On the Iliad* betitelte Hommage an Simone Weil bei. Nach einiger Zeit nahm man auch Titel in die Bollingen-Reihe auf, die mit dem Jungianischen Denken nicht mehr allzuviel gemein hatten. So besorgte mein Vater beispielsweise die Herausgabe von Malraux' dreibändigem Werk *Psychology of Art*, später sollten auch die Gesammelten Werke von Paul Valéry neben denen C.G. Jungs zu finden sein.

Teils wegen des unverkennbar jungianischen Einschlags der Bücher und teils wegen der Erinnerungen, die Kurt und Helen Wolff an ihre Jugendzeit in der Weimarer Republik hatten, erschienen in der Bollingen Series auch verschiedene bedeutende Untersuchungen zur orientalischen Kunst, darunter Heinrich Zimmers gewaltige Studie über die Kunst Indiens, der bald darauf die Arbeiten Joseph Campbells folgten, die in den sechziger Jahren so außerordentlich starken Anklang finden sollten. Ähnlich wie bei Campbell erging es dem Verlag mit der Übersetzung des chinesischen *I Ging*, einem Buch, das bei den Jungianern recht hohe Wertschätzung genoß – in der englischen Fassung des *I Ching* avancierte dieser Titel in den sechziger Jahren zum modischen Kultbuch, von dem insgesamt über eine Million Exemplare verkauft wurden. Merkwürdigerweise wurden Bücher, die man anfangs für hoffnungslos esoterisch gehalten hatte, in dem Maße zum festen Bestandteil der US-Alltagskultur, wie sich die amerikanische Gesellschaft mit ihrer neuerlichen Begeisterung für östliche Religionen, Irrationales und Spirituelles dem kulturellen Klima annäherte, das einst für weite Teile der Weimarer Republik kennzeichnend gewesen war.

Mein Vater hatte im Krieg ernstliche gesundheitliche Schäden davongetragen, da er als bereits relativ alter Soldat spürbar unter den harten Bedingungen des Militärlebens litt. Seine angeschlagene Gesundheit war es dann auch, die ihn daran hinderte, nach Kriegsende nach Frankreich zurückzukehren, wie er es ursprünglich immer vorgehabt hatte; in den nächsten Jahren verschlechterte sich sein Zustand mehr und mehr. 1950 schließlich starb mein Vater an einem Emphysem, und mit seinem Tod waren die Verbindungen meiner Familie zum Verlagshaus Pantheon gekappt – und zwar für immer, wie ich zunächst angenommen hatte. Trotzdem verfolgte ich nach wie vor mit regem Interesse die Geschicke des Verlags, die sich schon ziemlich bald infolge einer ganzen Kette unerwarteter Ereignisse einschneidend verändern sollten.

Ende der fünfziger Jahre verlegte Pantheon nämlich einen sperrigen russischen Wälzer, von dem man zunächst nur rund 4.000 Exemplare gedruckt hatte – der Titel des Buchs lautet *Doctor Zhivago*. Die Verleihung des Nobelpreises an Pasternak machte den Roman in aller Welt zum Bestseller, und so wurde auch Pantheon mit Bestellungen geradezu überschwemmt; zuletzt hatte man über eine Million Exemplare in der Hardcover-Ausgabe verkauft, zu der noch weitere fünf Millionen Exemplare im Taschenbuch hinzukamen. Diesem ersten Erfolg folgte als zweiter Streich Lampedusas *The Leopard* – und prompt war Pantheon binnen weniger Monate von einem marginalen, allzeit am Rande des Ruins jonglierenden Verlag zu einem immens profitablen Unternehmen mutiert.

Wie so oft, sollte auch hier der plötzliche Geldsegen die Weichen völlig neu stellen. Zwischen den beiden Wolffs und ihrem amerikanischen Geschäftspartner kam es zu Streitigkeiten, woraufhin Kurt und Helen Wolff den Entschluß zur Rückkehr nach Europa faßten; das Verlegerehepaar übersiedelte in die Schweiz und hoffte, von dort aus auch weiterhin die Verlagspolitik von Pantheon bestimmen zu können, was freilich selbst unter günstigsten Bedingungen nur schwer machbar gewesen wäre. Statt dessen spitzten sich die Konflikte der Gesellschafter immer mehr zu, bis die ursprüngliche Geschäftspartnerschaft bei Pantheon nicht länger zu halten war, woraufhin die beiden Wolffs zu Harcourt Brace wechselten, wo sie noch viele Jahre als Verleger tätig sein sollten. Da Pantheon von Stund an die verlegerische Leitung fehlte, entschlossen sich die wenigen Teilhaber des Verlags zum Verkauf – in Bennet Cerf, dem damaligen Chef von Random House, fand man einen bereitwilligen Käufer. Random House hatte nämlich gerade erst das renommierte Verlagshaus Alfred Knopf aufgekauft, dessen guter Name sich einerseits dem Programm anspruchsvoller Sachbücher über Themen der US-Zeitpolitik und US-Geschichte und andererseits den erfolgreichen Übersetzungen von Autoren verdankte, die von Mann und Camus bis hin zu Tanizaki und Obe reichten. Nach den Aufkäufen von Knopf und Pantheon zählte Random House jedenfalls unbestritten zur ersten Garde der wichtigen Verlagshäuser der USA. Der Erwerb von Pantheon – für nicht ganz eine Million Dollar – hatte die Backlist der drei Unternehmen erheblich bereichert, daher sah es ganz danach aus, als könne der neuentstandene Verlag ein vielversprechendes neues Kapitel seiner Firmengeschichte beginnen.

Pantheon, ein vergleichsweise kleiner und bis zu seinen späten Erfolgen eher marginaler Verlag, unterschied sich im Grunde nicht groß von anderen Verlagen in Nordamerika oder sonstwo in der westlichen Welt. Die Buchbranche umfaßte zu dieser Zeit ein breitgefächertes Spektrum von Verlagen, das von winzigen Klitschen bis hin zu etablierten Häusern mit einem Jahresumsatz bis zu etwa der Größenordnung von zehn Millionen Dollar reichte, was damals als stolze Summe galt, auch wenn es heutzutage von den Großkonzernen als lachhaft abgetan würde. Die Mehrzahl der Verlage befand sich noch im Besitz der Leute, die sie gegründet hatten, nur einige wenige von ihnen waren zu Unternehmen mit frei gehandelten Besitzanteilen geworden. Es versteht sich von selbst, daß bis auf einige wenige Ausnahmen alle Verlage in Nordamerika und Europa gewinnorientiert arbeiteten – trotzdem war jedermann bewußt, daß einem bestimmte Kategorien von Büchern, speziell neue Literatur oder gar Lyrik, unweigerlich Verluste einbrachten. Man ging im Verlagswesen einfach davon aus, daß Autoren eine Zukunftsinvestition darstellten und sie dafür dem Verlag die Treue halten würden, der sie entdeckt und anfangs über Wasser gehalten hatte. Ohnehin gingen alle Publikumsverlage davon aus, daß sie bei ihrer Buchproduktion Geld zuschießen oder bestenfalls mit plus minus null abschließen würden – Gewinne kämen über den Verkauf der Nebenrechte herein, sprich über die Verkäufe an Buchclubs und Taschenbuchverlage.

Es ist noch keine zwanzig Jahre her, daß der Verlagsleiter von Doubleday – also einem der größten US-Verlage –, einmal zu Protokoll gab, man gehe im Verlag bei der Kosten-kalkulation davon aus, bei deutlich über neunzig Prozent aller veröffentlichten Titel Geld zusetzen zu müssen. Die vergleichsweise geringe Anzahl von Bestsellern mache dafür die Verluste aller übrigen Titel wieder wett. Die still-schweigende Grundlage dafür war, daß die Verlage sämt-liche Werke eines Autors lieferbar hielten und der Autor im Gegenzug jedes neue Buch seinem angestammten Verlag anbiete – zumindest anfänglich. Daher gelte es auch als un-fein, Autoren anderer Verlage abzuwerben bzw. zu »wil-dern«.

Diese Zusammenfassung des Stands der Dinge soll nun beileibe nicht besagen, das amerikanische Verlagswesen in der Epoche vor seiner Entgleisung sei auch nur annähernd vollkommen gewesen. Das Gros aller in den USA und in Großbritannien verlegten Bücher war vergleichsweise bie-der und provinziell, das heißt für einen klar umrissenen und verläßlich einplanbaren Abnehmerkreis gedacht und gemacht. In den vierziger und fünfziger Jahren fanden sich daher durchgängig die gleichen und »altbewährten« Namen auf den Bestsellerlisten. Nur äußerst selten gelang einem neuen Autor der Durchbruch.

Trotzdem gab es immer noch Büchermacher, die daran interessiert waren, etablierte Grenzen zu verändern, neue Leserschichten zu erschließen und das allgemeine Niveau der Lesekultur zu heben – und zu den Verlagen, die dies versuchten, zählten einige der großen Publikumsverlage, die eindeutig für ein Massenpublikum produzierten. Der bekannteste dieser Verlage trug den Namen New American Library of World Literature, und dort war es auch, wo ich meine eigene Verlagskarriere begann.

Die New American Library, wie der Verlag in Kurzform hieß, war der Nachfolger von Penguin USA und hatte sich das Motto »Good reading for the millions« gegeben: Gute Lektüre für die Massen. Damals stand außer Frage, daß dieses Motto den eigentlichen Beweggrund benannte, der viele Leute überhaupt erst in die Buchbranche geführt hatte.

Ich kann mich noch deutlich an Lektoratsbesprechungen erinnern, in denen ernsthaft diskutiert wurde, wie es sich am besten bewerkstelligen ließe, einem Massenpublikum neue und sehr anspruchsvolle Werke nahezubringen. Natürlich verlegte die New American Library auch jede Menge Western und Kriminalromane – aber ebenso veröffentlichte man sämtliche Bücher von Faulkner, von europäischen Schriftstellern wie Malaparte und Pasolini ganz zu schweigen. Auch *Martin Eden*, der radikale Klassiker von Jack London, der gegenwärtig nirgends mehr erhältlich ist, stand im Verlagsprogramm verzeichnet. Bei der New American Library war Margaret Meads Anthropologieklassiker *Coming of Age in Samoa* ebenso zu haben wie Marquis Childs soziologische Studie *Sweden: The Middle Way* und eine große Auswahl ähnlicher Sachbücher.

Alle genannten Titel waren Taschenbücher, die mit einem Verkaufspreis zwischen 25 und 35 Cents über den Ladentisch gingen – und sie waren überall im ganzen Land in Zeitungskiosken und Drugstores erhältlich. Rechnet man die Inflationsraten ein, kommt man auf einen heutigen Preis, der zwischen 2,50 Dollar und 3,50 Dollar liegt; die Faustregel besagte damals, daß Bücher etwa soviel wie eine Schachtel Zigaretten kosten sollten. Eines der teuersten Bücher der New American Library war James T. Farells *Lonigan Trilogy* – dieses Buch war so dick, daß wir 50 Cents dafür verlangen mußten. Zuletzt war die Marketingabteilung deshalb zu dem Schluß gekommen, daß man den Rücken der drei Bände am besten mittig teilte, damit jedermann sehen konnte, daß er hier den Gegenwert von gleich zwei Büchern erhielt und nicht etwa das Gefühl bekam, man wolle ihn ausnehmen.

Natürlich waren die Schutzumschläge der Paperbacks jener Jahre durchweg reißerisch aufgemacht. Achtete man nicht auf den Titel, war kaum erkennbar, ob man gerade einen Titel von Mickey Spillane oder von Faulkner aus dem Regal gegriffen hatte. Dennoch versuchte man in den Verlagen sehr ernsthaft, für das Beste, das seinerzeit veröffentlicht wurde, ein breites Lesepublikum zu gewinnen. Auch wenn Faulkner auf jedem Rückumschlag seiner Romane als der Verfasser von *Sanctuary* angepriesen wurde (mutmaßlich das einzige »schmutzige« Buch überhaupt, das viele in den USA während ihrer Jugend in die Hand bekommen konnten), war jedes einzelne seiner Bücher lieferbar – und das wohlgemerkt viele Jahre, bevor Faulkners Romane zur Standardlektüre für Collegeseminare wurden, wobei die Bücher, dies nebenbei, beim Prozeß ihrer Erhebung in den Kanon ironischerweise den Großteil ihrer Durchschnittsleser einbüßten.

Ein weiteres Beispiel für die seinerzeitige Ethik des Verlegens war die Zeitschrift *New World Writing*, ein im Taschenbuchformat gedrucktes und überaus esoterisch angehauchtes Magazin für Buchbesprechungen, das etwa zur selben Zeit aus der Taufe gehoben wurde. Grundlage für das Projekt war die berühmte Buchreihe »New Writing«, die damals bei Penguin verlegt wurde, und genau wie die Buchreihe hielt es das Magazin mit der Volksfrontlosung, wenn die Büchermacher an das Thema Literatur und Massen dachten – sie waren erstens überzeugt, daß der Durchschnittsbürger sehr wohl imstande sei, das Hochrangigste zu lesen, das die zeitgenössische Kultur zu bieten hatte, und hatten zweitens den Ehrgeiz, daß die entsprechenden Bücher in jedem Drugstore erhältlich sein sollten. So war, um ein ziemlich krasses Beispiel zu nehmen, ein Heft der Zeitschrift *New World Writing* einer Auswahl zeitgenössischer koreanischer Lyrik gewidmet – trotzdem war dieses Blatt für ein Massenpublikum gemacht und wurde mit Startauflagen von 50000 bis 75000 Stück gedruckt.

Daß man die Leserschaft als zwei getrennte Gruppen begreifen müßte, als kulturelle Elite hier und Massenpublikum da, denen es jeweils Honig ums Maul zu schmieren galt – von dieser Sichtweise waren die Herausgeber der New American Library weit entfernt. Auch wenn man populäre Kommerzware wie etwa Mickey Spillane oder Kathleen Windsors Schmachtfetzen *Forever Amber* verlegte, so ging man doch vollkommen selbstverständlich davon aus, daß man ergänzend zu diesen Reißern das Hochrangigste veröffentlichen müsse, das überhaupt zu finden sei. Und alle im Verlag gingen davon aus, daß das dann auch tatsächlich gelesen würde. Und umgekehrt: Selbst wenn man den Eindruck gewonnen hatte, daß sich ein bestimmter Titel hervorragend verkaufen könnte, hatte man klare Grenzen vor Augen, wie weit man sich auf volkstümliche Geschmacksvorlieben einlassen wollte, und diese Vorbehalte hielten einen davon ab, Pornographie oder aber Bücher zu drucken, die man für entwürdigend hielt, beides Zeug, das heutzutage massenhaft auf dem Markt ist.

Die New American Library war ursprünglich als amerikanischer Ableger der britischen Penguin Books entstanden und behielt auch weiterhin einen Gutteil des Denkansatzes und der Ideologie von Penguin bei. Penguin Books war der vielleicht erfolg- und einflußreichste aller Publikumsverlage, daher wurde sein Vorbild in ganz Europa und ebenso in Nord- und Südamerika kopiert. Gegründet wurde der Verlag Penguin in den dreißiger Jahren von Allen Lane (später Sir Allen Lane), einem überaus praktisch denkenden Geschäftsmann, der für Penguin Books eine ganze Reihe hochtalentierter und hochengagierter Lektoren einstellte, unter ihnen auch VK Krishna Menon, der später UNO-Botschafter Indiens wurde. Wie mittlerweile in vielen gescheiten Büchern, speziell in Richard Hoggarts *The Uses of Literacy*, nachzulesen ist, hatte sich Penguin das Ziel gesetzt, dem britischen Lesepublikum nicht allein das Beste der zeitgenössischen Literatur anzubieten, sondern in Ergänzung dazu eine bunte Palette neuer Sachbuchtitel in Auftrag zu geben. Für diese zweite, Pelican Books benannte Reihe gab Penguin ein beeindruckend breites Spektrum von eigens geschriebenen Sachbüchern über Naturwissenschaften, Sozialwissenschaften und sogar Kunstgeschichte in Auftrag. Ganz überwiegend vertraten die Verfasser dieser Originalausgaben eine unverkennbar progressive Haltung, die ihre enge Verbindungen zur damaligen Politik der englischen Linken nicht verleugnete. Trotzdem waren die Bücher für ein Mainstream-Publikum gedacht und ganz und gar nicht parteipolitisch zugespitzt. Penguin gab u. a. neue Nationalgeschichten aller wichtigen Länder in Auftrag, dazu Einführungen in die diversen Naturwissenschaften, ebenso aber auch Bücher über aktuelle zeitpolitische Fragen und nicht zuletzt eine große Zahl von Sachbuchtiteln mit einer umfassenden Bandbreite, die der überwältigenden Mehrheit der Engländer, denen nach dem Ende ihrer Schulpflicht mit 16 Jahren der Zugang zur weiterführenden Bildung verwehrt blieb, eine vollwertige Bildung ermöglichen sollten. Der immense Erfolg der Pelican Books war ein ganz wesentliches Element der Sozialgeschichte Englands in den dreißiger und vierziger Jahren und trug ohne Frage mit dazu bei, den Grundstock fortschrittlichen Denkens zu legen, der unmittelbar nach Kriegsende zum überwältigenden Sieg der Labour Party führte.

Merklich links von Penguin Books stand der Left Book Club, den der bekannte Verleger Victor Gollancz gemeinsam mit der britischen KP gegründet hatte. Die vom Left Book Club verlegten Titel orientierten sich daher auch weit stärker als bei Penguin und Pelican an der jeweils aktuellen politischen Linie der kommunistischen Partei. Zum Beispiel erschienen einige der frühen Arbeiten Orwells, darunter *The Road to Wigan Pier*, mit großem Erfolg beim Left Book Club, wohingegen andere von Orwells Büchern wie u. a. *Homage to Catalonia* aufgrund ihrer harschen Kritik an der Politik der Sowjetunion vom Lektorat abgelehnt wurden; diese Bände wurden dann von unabhängigeren linken Verlagen veröffentlicht, im genannten Fall von Secker & Warburg. Ungeachtet seiner engen Verbindung mit der aktuellen Politik der KP stellte der Left Book Club einem Massenpublikum dennoch in Hunderttausenden von Exemplaren inhaltlich wichtige und grundsolide geschriebene Sachtitel zur Verfügung. So erschienen etwa die Bücher von Edgar Snow mit dem Signet des Left Book Club auf dem Titelblatt, des weiteren eine ganze Reihe wichtiger politischer Sachbücher, deren Verfasser den Siegeszug des Faschismus in Deutschland und den heraufziehenden Krieg in Europa erklärten. Alle diese Bücher verkauften sich stets in Zehntausenderauflagen und zu Preisen, die ziemlich genau denen von Penguin Books entsprachen – beides half mit, daß sich auf der Linken eine extrem gutinformierte Avantgarde herausbildete, die in der öffentlichen Meinung einiges bewegen konnte. In diesem Zusammenhang lohnt der Hinweis, daß vergleichbare Bücher heutzutage in winzigen Auflagen und zu abschreckend hohen Preisen von Universitätsverlagen verlegt werden, weil man allgemein davon ausgeht, daß es für Titel dieser Art schlichtweg kein Massenpublikum gibt. Die Erfahrung der dreißiger Jahre – zu der die damalige politische Aufbruchstimmung nicht wenig beitrug, das versteht sich von selbst – zeigt aber deutlich, daß man eine sehr große Leserschaft sehr wohl dazu bewegen konnte, vergleichsweise anspruchsvolle Bücher über politische Themen zu kaufen, die zum Teil auf den ersten Blick nur sehr wenig mit den Alltagssorgen der Mehrzahl der Engländer zu schaffen hatten.

In den USA gingen während des Kriegs ebenfalls in riesigen Stückzahlen Sachbücher zu aktuellen politischen Fragen über den Ladentisch. Manche Titel wie beispielsweise Wendell Willkees Buch *One World*, in dem der prominente New Deal-Kritiker und 1940 bei den Präsidentschaftswahlen gescheiterte Herausforderer von Franklin D. Roosevelt die Ziele des amerikanischen Kriegseintritts erläuterte, erreichten in großformatigen Taschenbuchausgaben Verkaufsauflagen von über einer Million Exemplaren – und das, obwohl die damalige Einwohnerzahl der Vereinigten Staaten nur rund die Hälfte des heutigen Standes betrug.

Die von der New American Library verlegten Bücher waren eindeutig im Rahmen dieser allgemeinen Tradition zu sehen, einer Tradition also, die auf gesellschaftliche Debatten angelegt war, weil man davon ausging, daß entscheidende politische Fragen keineswegs nur von einer kleinen Elite von Sachverständigen und Politikern entschieden werden sollten, sondern es im Gegenteil für selbstverständlich hielt, daß die gesamte Bevölkerung an dieser Diskussion Interesse habe und sich engagiert daran beteiligen würde. Ich kann mich noch daran erinnern, daß ich als Schüler von meiner Highschool das Wochenblatt *My Weekly Reader* bekam, das für Jugendliche ab zwölf Jahren gedacht war, und daß darin u. a. ausführlich erörtert wurde, welchen Kurs die amerikanische Politik einschlagen sollte, und daß man dort jede Menge Informationen über öffentlichen Wohnungsbau und die staatlichen Elektrifizierungsprogramme auf dem Lande zu lesen bekam. Die Annahme, daß auch Schulkinder sich für Themen interessieren, die heutzutage als viel zu esoterisch und abgehoben abgetan würden, weil sie nach landläufiger Meinung allenfalls eine winzige Zahl von Erwachsenen betreffen, gehörte nun einmal untrennbar zur euphorischen und optimistischen Grundhaltung der Nachkriegszeit.

Ich, der ich erstens mit Büchern solchen Zuschnitts aufgewachsen war und zweitens meine ersten Berufsjahre bei der New American Library verbracht hatte, ging völlig selbstverständlich davon aus, daß Bücher dieses Anspruchs für jeden im Verlagswesen ein natürlicher Teil seiner Verantwortung seien.

Da ich beim Tod meines Vaters erst fünfzehn Jahre alt gewesen war, hatte ich allen Kontakt zu Pantheon verloren und auch nie erwartet, mit dem Verlag irgendwann wieder näher zu tun zu haben. Daher war ich erstaunt, als mich die Geschäftsführung von Pantheon 1961 bei der New American Library ansprach und fragte, ob ich zu ihrem Verlag wechseln wollte. Ich ging mit Freuden auf das Angebot ein und fing Anfang 1962 bei Pantheon Books an – und war, was die Schwierigkeiten des Verlagslebens betraf, so blauäugig, wie man es mit sechsundzwanzig nur sein konnte. Als ich das in Keilform erbaute und spöttisch-liebevoll »Little Flatiron Building« genannte Hochhaus an der Ecke 4th Street und 6th Avenue betrat, bereitete mir das großes Vergnügen: Mein Vater hatte sein Büro im Bug des schiffsähnlichen Baus gehabt, und nach seinem Tod hatte man es ihm zu Ehren eine ganze Reihe von Jahren ungenutzt gelassen. Das Haus als solches war ein heruntergewirtschafteter Gewerbebau, der u. a. einen Akkordeonhersteller und verschiedene Textilfirmen beherbergte, doch waren hier auch eine Reihe der interessanteren Verlage des Landes untergebracht, nämlich New Directions, Pellegrini und Cuddahy, die alle dasselbe Stockwerk nutzten wie wir, in anderen Etagen saßen die Zeitschriften *The Nation* und *Monthly Review*, beides linke, marxistisch orientierte Blätter.

Seit dem Ausscheiden von Kurt und Helen Wolff hatten die früher für Herstellung und Vertrieb zuständigen Leute bei Pantheon die Gesamtleitung übernommen – angenehme Individuen mit besten Absichten, aber leider ohne die nötigen Kenntnisse im Lektorat, die unumgänglich wa ren, wenn man das hohe Niveau des Verlagsprogramms, für das Random House bekannt war, halten wollte. Zu der Liste von Büchern, die man mir auf den Schreibtisch legte, zählten zwar ein oder zwei wunderschöne Titel – so etwa die Memoiren von Konstantin Paustowski –, aber ebenso zahlreiche zweitklassige Bücher, die man eher aus Zufall bzw. aus allzu großem Vertrauen auf die Empfehlungen überenthusiastischer Leser gekauft hatte. Die Dinge blieben daher nicht lange, wie sie es bei meinem Arbeitsbeginn im Verlag gewesen waren. Binnen weniger Monate übersiedelten wir in kleine Räume gleich neben dem Sitz von Random House an der Ecke 50th Street und Madison, außerdem nahmen die neuen Besitzer ihre Neuerwerbung jetzt genauer unter die Lupe. Ohne Frage hatte man beim Kauf von Pantheon kein Geld in den Sand gesetzt. Die Backlist und die sehr erfolgreiche Kinderbuchreihe des Verlags waren ungleich mehr wert als die knappe Million, die man gezahlt hatte. Aber das aktuelle Programm für Erwachsene war tatsächlich eine Katastrophe, und folgerichtig nahmen meine beiden Vorgesetzten innerhalb weniger Monate nach meinem Arbeitsantritt ihren Abschied.

Die nach deren Ausscheiden verbleibenden Kollegen kamen überwiegend aus meiner Altersgruppe; eine Handvoll junger Leute, die vom Verlagsgeschäft nicht viel mehr verstanden als ich. Wir setzten uns also zusammen, und ich regte an, Random House vorzuschlagen, daß wir doch ebensogut auf eigene Faust weitermachen könnten. Wie ich Bennett Cerf und Donald Klopfer, den beiden Teilhabern von Random House, auseinandersetzte, hatten sie kaum etwas zu verlieren: Für die kommenden Monate standen uns noch ausreichend viele von unseren Vorgängern übernommene Bücher zur Verfügung, und falls es uns nicht gelingen sollte, neue Titel beizubringen, die weit spannender waren, konnten sie das Experiment ja getrost abblasen. Wenn man sechsundzwanzig ist, schreckt einen die Aussicht auf die Suche nach einem neuen Job nicht. Umgekehrt hätte Random House bei einem positiven Ausgang des Experiments unterm Strich einen völlig neuen Teil zu seinem Verlagsimperium dazugekauft. Seinerzeit kam mir noch nicht einmal der Gedanke in den Sinn, daß es ungewöhnlich war, wenn man dermaßen jungen Leuten die Zügel in die Hand gab, doch umgekehrt hatte ich genausowenig begriffen, daß noch eine weitere Überlegung für uns sprach – denn da Random House soeben den hochrenommierten Literaturverlag Alfred Knopf gekauft hatte, wollte man keinesfalls den Eindruck erwecken, man mache die neuen literarischen Ableger der Verlagsgruppe dicht, um alles zu einem einzigen Großverlag zusammenzulegen. Außerdem machte sich Alfred Knopf große Sorgen, daß eine drohende Schließung von Pantheon womöglich die Zukunft seines eigenen Hauses gefährden könnte. Sollte Pantheon tatsächlich von der Bildfläche verschwinden, hätte es für ihn in der Tat schwierig werden können.

Trotzdem gilt es neben allen praktischen Überlegungen auch noch eine sehr handfest idealistische Komponente in der Entscheidung, die Cerf und Klopfer trafen, zu würdigen. Beide dachten an ihre eigene Jugend und ihre eigenen Anfänge im Verlagswesen zurück und sahen in unserem Vabanquespiel ein herzerfrischendes und vergnügliches Abweichen von den üblichen Alltagsgepflogenheiten. Überhaupt boten uns beide auf Dauer unglaublich viel Rückhalt – und für die ersten Jahre gaben sie uns praktisch *Carte blanche*; es sollte noch sehr lange dauern, bis der Begriff »profit center« in meinen Wortschatz einging. Zunächst einmal sollten wir laut Cerf und Klopfer einfach die besten Bücher veröffentlichen, die wir auftreiben konnten, und wenn wir selbst durchaus darüber nachdachten, ob wir diese Titel auch ausreichend oft verkaufen könnten, waren derlei Überlegungen doch meilenweit von den nüchternen Sachzwängen entfernt, die schon damals im amerikanischen Verlagswesen herrschten.

Als Resultat dieser im Grunde idealen Situation konnten wir unsere gesamte Zeit damit zubringen, nach Büchern Ausschau zu halten, die uns am wichtigsten erschienen. Allerdings waren wir nicht so naiv, daß wir nicht begriffen hätten, wie hilfreich ein Bestseller hier und da sein könnte – folglich widmeten wir den wenigen von früher übernommenen Titeln, die verheißungsvoll klangen, viel Aufmerksamkeit. Dank der Wolffs konnten wir in unserem ersten Jahr *Die Blechtrommel* von Günter Grass veröffentlichen, außerdem war vorgesehen, daß frühere Pantheon-Bestsellerautoren wie Mary Renault und Zoe Oldenbourg neue Manuskripte bei uns einreichen würden. Es bestand also durchaus die Chance auf einen Erfolg des Experiments, und gottlob protestierte niemand gegen die allem Augenschein nach weitaus problematischeren Titel, die wir schon bald in unseren Neuerscheinungskatalog aufnahmen.

Für das Kultur- und Geistesleben der Vereinigten Staaten von Amerika war 1962 ein günstiges Jahr. Auch wenn die McCarthy-Zeit – theoretisch gesprochen – seit schon fast zehn Jahren vorbei war, blieb ihr ideologischer Nachhall in der Politik und im Bildungswesen der USA nach wie vor unüberhörbar. Ich war in der McCarthy-Ära aufgewachsen und hatte miterlebt, wie alles Dissidententum, ja selbst schon fortschrittliches Denken überhaupt, nahezu vollständig aus dem amerikanischen Alltag verschwunden war. Obwohl ich meinerseits ein eiserner Antikommunist war, wußte ich doch, wie viele Stimmen man zum Schweigen gebracht bzw. ganz an den Rand des Geschehens gedrängt hatte. Daher schlug ich wenige Monate, nachdem ich bei Pantheon angefangen hatte, die Veröffentlichung der Artikel von IF Stone vor, dem linken Journalisten, der sich als einer von ganz wenigen gegen die Torheiten der McCarthy-Zeit aufgelehnt hatte. Mittlerweile ist Stone längst als eine der zentralen Figuren des amerikanischen Pressewesens anerkannt, man schätzt ihn als Mentor einer ganzen Generation von Autoren und Kritikern. Damals aber sahen meine Vorgesetzten bei Pantheon betreten drein und retteten sich in Ausflüchte, warum sich der Verlag niemals auf eine derart kontroverse Materie einlassen könnte. Ich erinnere mich noch lebhaft daran, wie ich seinerzeit im Büro der gerade erst gegründeten *New York Review of Books* (das Blatt wurde 1963 aus der Taufe gehoben) saß und die beträchtliche Aufregung und Besorgnis registrierte, mit der Bob Silvers, der Herausgeber der Zeitschrift, bekanntgab, man habe besagten IF Stone um einen Beitrag gebeten. Würde der Ruf des Blattes ruiniert? Würden ihnen die Abonnements aufgekündigt?

Als Konsequenz dieses Klimas der Einschüchterung existierten gewaltige Lücken im geistigen Leben der USA, die wir so gut und so rasch wie möglich zu füllen versuchten. Dank einer glücklichen Fügung erschien eines Tages Victor Gollancz mit den Druckfahnen eines gewaltig dicken Geschichtswälzers namens *The Making of the English Working Class* in meinem Büro, der Autor hieß E. P. Thompson. Schon die Lektüre des ersten Abends machte mir klar, daß ich während meiner gesamten Studienzeit nach genau dieser Sorte von Geschichtsschreibung gesucht hatte – eine Sozial- und Wirtschaftsgeschichte der Durchschnittsbürger, wie es sie in ganz England und Amerika in den fünfziger Jahren nicht gegeben hatte. Das Buch war ein Meilenstein der Historiographie, und wir hatten unglaubliches Glück, daß wir es veröffentlichen konnten. Gollancz nämlich nahm freudig unser Angebot an, ihm 1500 Exemplare für eine Lizenzausgabe abzukaufen – und damit war unsere historische Reihe ins Leben gerufen. (Von Thompsons Buch wurden seither mehr als 60000 Exemplare verkauft, es ist bis heute lieferbar.) Auf E. P. Thompson folgten bald noch andere englische Historiker, die man bis dahin in den USA nicht unbedingt freudig begrüßt hatte: darunter Eric Hobsbawm, Christopher Hill, George Rudé und Dorothy Thompson. Zufällig schickte man uns noch eine Doktorarbeit über die Geschichte der Sklaverei, geschrieben von einem amerikanischen Marxisten namens Eugene Genovese. Gleich zwölf Universitätsverlage hatten *The Political Economy of Slavery* abgelehnt, da die Methodologie eindeutig marxistisch war; daß die Summa des Buchs schon fast wieder erzkonservativ ausfiel, machte das erwähnte

Manko kaum wett. Selbst mir, der ich vergleichsweise nur wenig über US-amerikanische Geschichte wußte, war klar, daß wir ein außergewöhnlich interessantes Buch vor uns hatten, und so veröffentlichten wir es ebenso wie alle nachfolgenden Bücher Geneveses. Bald darauf verlegten wir eine Reihe renommierter amerikanischer Autoren wie z.B. Herbert Gutman und Ira Berlin, deren Texte in vieler Hinsicht eine parallele Schiene zu Thompson und Hobsbawm darstellen. Zusammengenommen setzten diese Sozialhistoriker einen neuen Standard für Historiker im englischen Sprachraum, ihr Einfluß entsprach in vieler Hinsicht der Arbeit der um die Zeitschrift *Annales* gruppierten Schule in Frankreich.

Amerikas intellektuelle Verunsicherung ging aber weit tiefer, als daß man lediglich den Marxismus abgelehnt hätte. Neue Ideen jedweder Couleur schienen allzu gefährlich, um sie auch nur ansatzweise zur Kenntnis zu nehmen. So lag Michel Foucaults bahnbrechende Studie *Folie et Déraison: Histoire de la folie à l'âge classique* (dt.: *Wahnsinn und Gesellschaft: Eine Geschichte des Wahns im Zeitalter der Vernunft*) bereits seit mehreren Jahren in Frankreich vor, ohne daß irgendein amerikanischer Universitätsverlag darauf aufmerksam geworden wäre. Mir kam das Buch beim Stöbern in einem Pariser Buchladen unter die Finger, und schon nach der ersten Seite war mir klar, daß es sich hier um eine außergewöhnlich spannende Lektüre handelte, auch wenn ich nichts über den Verfasser wußte. Im Laufe der Zeit brachten wir dann alle Bücher Foucaults heraus, obwohl die Leserschaft in den USA in den ersten Jahren winzig klein blieb. Es fiel sogar schwer, auch nur eine einzige Universität dazu zu bewegen, Foucault zu einem Gastvortrag einzuladen, so engstirnig waren die Leute in den historischen Fachbereichen. Und genau wie bei Thompson fielen die Rezensionen von Foucaults Büchern in den etablierten Fachzeitschriften weitgehend negativ aus. Erst nach dem vierten oder fünften Buch fand sich allmählich ein Publikum für ihn.

Foucault war nur einer von zahlreichen französischen Autoren, die wir in den folgenden Jahren verlegten. Wir druckten Naturwissenschaftler wie François Jacob und Octave Mannoni, ebenso eine ganze Reihe von Sozialwissenschaftlern, angefangen mit Edgar Morin über Georges Ballandier bis hin zu Jean Duvigneau, auch Journalisten wie Claude Julien und André Fontaine; bei den Historikern wären neben vielen anderen Georges Duveaux, Georges Duby und Moshe Lewin zu nennen.

Dank der wertvollen Unterstützung durch Gustaf Bjurström, der schon seit den fünfziger Jahren bei Pantheon tätig war, veröffentlichten wir zu allem oben Genannten eine ganze Menge wichtige Literatur und Belletristik. Und irgendwann druckten wir dann auch die ganz bekannten Namen. Da man in den anderen Verlagen immer heftiger auf Rendite pochte, wurde selbst jemand vom Kaliber eines Sartre unversehens von Knopf abgelehnt, der zuvor den Großteil seiner Werke veröffentlicht hatte. Wir übernahmen mit Kußhand Sartres spätere Bücher, wie den Essayband *Situations* oder Simone de Beauvoirs *Kriegstagebücher* und *Le Céremonie des Adieux*.

Dank großen Glücks konnten wir auch das Werk von Marguerite Duras übernehmen; ihr *L'Amant* wurde in den USA zum Bestseller, was seit *Les Mandarins* keinem anderen französischen Roman gelungen war. Überhaupt retteten wir viele von Duras' Büchern vor dem Vergessen und brachten eine große Anzahl ihrer älteren Titel im Taschenbuch heraus, ebenso zahlreiche von Beauvoirs Büchern. Jahre später empfand ich große Freude, weil Marguerite Duras zugestimmt hatte, daß The New Press ihren *L'Amant de la Chine du Nord* als einen der ersten Titel des neugegründeten Verlags verlegen konnte.

Glücklicherweise konnten wir unter Bedingungen veröffentlichen, die nicht voraussetzten, daß jede unserer Neuerscheinungen sofortigen Gewinn abwarf oder aber zumindest erwarten ließ, daß dies beim nächsten Buch des Verfassers passierte. Wäre das der Fall gewesen, hätte keines der soeben erwähnten Bücher im Druck erscheinen können. Die von mir statt dessen zugrunde gelegten Kriterien waren relativ einfach: Vor allem anderen war mir an neuen Werken gelegen, in denen jene intellektuelle Erregung zu spüren war, die in den Vereinigten Staaten weitgehend gefehlt hatte, parallel dazu war ich stets auf der Suche nach Vertretern von politischen Betrachtungsweisen, die meiner Ansicht nach in der McCarthy-Zeit gefehlt hatten und denen ich mich nachdrücklich verbunden fühlte. Also schaute ich mich immerzu nach den Leuten um, deren Arbeit ich besonders bewunderte und respektierte, und sah zu, ob ich sie nicht in unseren Titelkatalog aufnehmen konnte. Normalerweise müßte solch ein Vorhaben utopisch bleiben, in den frühen sechziger Jahren fand ich mich jedoch in der glücklichen Lage, daß ich Leute bewunderte, die andere Verlage ablehnten oder aber vernachlässigten. Das traf beispielsweise auf Gunnar Myrdal zu, den Autor des Klassikers *An American Dilemma*, dessen politologische und soziologische Schriften ich für unverzichtbar hielt, wenn man die USA begreifen wollte. Und wirklich gelang es mir, bei Myrdal eine ganze Reihe von Titeln in Auftrag zu geben – den Auftakt machte sein Buch *Challenge to Affluence*, ein Text, der gemeinsam mit Galbraiths *The Affluent Society* das Dilemma eines Amerika zur Diskussion stellte, das in ein Land der Reichen und ein Land der Armen gespalten war (und ist). Angeblich lag Myrdals Buch auf dem Schreibtisch von John F. Kennedy, als der Präsident in Dallas erschossen wurde – der Einfluß des Buches war jedenfalls sehr weitreichend. Eine ganz ähnliche Figur wie Myrdal war Richard Titmuss, der Cheftheoretiker des britischen Wohlfahrtsstaats; von ihm verlegten wir den Klassiker *The Gift Relationship*, in dem Titmuss das Blutspendewesen als Symbol für soziale Beziehungen verwendet. Die sechziger Jahre entfalteten derweil ihren eigenen Zeitgeist, und so schafften Bücher wie die beiden soeben erwähnten den Einzug auf die Titelseite der *New York Times*. Bis zu welchem Grade wir den Meinungsumschwung der

Öffentlichkeit einzuleiten halfen, läßt sich nur schwer sagen – doch außer Frage steht, daß jene Bücher sehr lebhaft zur Kenntnis genommen wurden.

Der Widerstand gegen den Vietnamkrieg war uns Anstoß zur Herausgabe einer großen Anzahl einschlägiger Bücher, den Anfang machte Chomskys Kritik am Krieg in Indochina. Sein Buch *American Power and the New Mandarins* wurde zur Pflichtlektüre für alle, die gegen den Krieg opponierten, aber auch für alle diejenigen, die ganz grundsätzlich begreifen wollten, welche Fehler eine Gesellschaft aufwies, die es zu einem solchen Krieg hatte kommen lassen. Wir hatten ohnehin bereits eine ganze Reihe von Büchern über Asien verlegt, in denen die amtliche Sicht sowohl auf China als auch auf Vietnam widerlegt wurde – den Beginn der Serie hatte Jan Myrdals *Report from a Chinese Village* übernommen. Diese Reportage hatte in der *New York Times* prompt Schlagzeilen gemacht: aber wohlgemerkt negative. Wohl wurde das Erscheinen von Myrdals Buch in der *New York Times* als ein herausragendes Ereignis gewürdigt, doch wurde bei aufmerksamer Lektüre der Besprechung klar, daß man dem Rezensenten den Zugang zu den CIA-Akten über Myrdal ermöglicht hatte. Allenthalben fanden sich in der Rezension detaillierte Verweise auf Unterhaltungen, die der Autor in Peking geführt hatte und die niemand anderer hören hätte können als entweder die Spione des CIA oder aber die eines anderen Nachrichtendienstes. Mittlerweile stand der Zeitgeist aber wahrhaftig auf unserer Seite, und so fand denn auch ein beträchtlicher Teil der US-Öffentlichkeit nach und nach zu einer neuen Sichtweise der chinesischen Revolution.

Nach und nach brachten wir über Lateinamerika ebenso viele Bücher wie über Asien heraus. Die spannendsten Titel befaßten sich mit Chile, u. a. druckten wir einmal ein schmales Bändchen, gemeinsam verfaßt von Regis Debray und Salvador Allende, die darin – Ironie des Schicksals – über die Zukunft von Chiles Revolution diskutierten. Ich hatte damals Chiles US-Botschafter, Orlando Letelier, um ein Vorwort für diesen Band gebeten und mich zu Beginn der Präsidentschaft Nixons mit ihm in der chilenischen Botschaft in Washington zum Mittagessen verabredet. Ob er denn hoffe, daß Washington seine Regierung unbehelligt lasse, fragte ich Letelier. Und er, der keinen blassen Schimmer hatte, welche Ränkespiele Kissinger längst eingefädelt hatte, gab zur Antwort, daß man in Washington bislang gute Miene mache und Nixon sich vielleicht an die Überlegungen halte, auf deren Grundlage er diplomatische Verbindungen zu China geknüpft hatte. Schon bald nach dieser Unterhaltung wurde Allende beim Umsturz in Santiago ermordet, Letelier wiederum fiel in Washington einem Mordkomplott der DINA, Chiles Geheimpolizei, zum Opfer. Ich war froh, daß wir wenigstens die journalistische Bloßstellung dieses Meuchelmordes veröffentlichen konnten, ein Buch, das später entscheidend dazu beitrug, daß Leteliers Mördern schließlich der Prozeß gemacht wurde.

Seine tatkräftigsten Verbündeten fand der Verlag aber weder in Lateinamerika noch in Asien, sondern in Europa. Gegen Ende der sechziger Jahre war unverkennbar, daß die Umbrüche in den USA sich mit gleichem Ungestüm in Europa vollzogen. Daher fanden wir bald genug Verleger, die unsere Bemühungen gerne unterstützten. Kritische Stellungnahmen wie die von Chomsky und vielen anderen wurden in alle großen Sprachen Europas übersetzt. Umgekehrt bewunderten wir in den USA die Arbeit, die Leute wie Paul Flamand, François Maspero und Jérôme Lindon machten. Wir verfolgten daher aufmerksam, was sie verlegten und veröffentlichten so viele Übersetzungen aus ihrem Programm wie nur möglich. Darüber hinaus versuchten wir in Zusammenarbeit mit unseren europäischen Kollegen neue Bücher in Auftrag zu geben, die wir gemeinsam verlegen könnten. So gaben wir einmal auf Initiative der Verlage, die Übersetzungen von Jan Myrdals Bericht über China herausgebracht hatten, eine Reihe analoger Reportagen aus Dörfern in aller Welt in Auftrag. Diese Bände sollten auf Grundlage der Methode der »oral history« die enormen gesellschaftlichen Umwälzungen dokumentieren, die damals den Alltag der ganz gewöhnlichen Menschen umkrempelten – mit anderen Worten sollten die Verfasser die Aussagen der Betroffenen heranziehen und nicht etwa die üblichen soziologischen Erhebungen und Fragebögen. Für diese Reihe waren mehr als zwölf Bände aus verschiedenen Ländern vorgesehen, Kollegen aus einem halben Dutzend Staaten teilten sich die Aufgabe, Autoren zu finden und die Reportagen in Auftrag zu geben. Der Kerngedanke, der uns alle bei diesem und anderen Gemeinschaftsprojekten leitete, war der, daß es doch erreichbar sein müßte, die altvertrauten merkantilistischen Zwänge des Verlagswesens zu neutralisieren. Die Vorstellung, daß Verlage einzig und allein zu dem Zweck kooperierten, damit sie ihre Arbeit gewinnbringend verkaufen konnten, kam uns angesichts der Probleme, mit denen wir uns alle gemeinsam konfrontiert sahen, banal und unangemessen vor. Im Laufe der Zeit entstanden daher überseeische Partnerschaften mit vielen Verlagen in aller Welt, vor allem aber mit Penguin, und erst dank dieser Zusammenarbeit konnten die Reformen der sechziger Jahre noch weit bis in die siebziger Jahre hinübergerettet werden.

Eines der erfolgreichsten Bücher dieser Kooperation war *Division Street: America*, eine Interviewsammlung, die ein damals nur wenig bekannter Autor aus Chicago mit Namen Studs Terkel zusammengetragen und kommentiert hatte. Terkel hatte sich die unterschiedlichen Stadtviertel Chicagos vorgenommen, um zu untersuchen, welche Veränderungen sich in den Vereinigten Staaten in der Zeitspanne von den dreißiger Jahren bis zu den Sechzigern ergeben hatten – und Terkels Funde riefen überall im ganzen Lande ein lebhaftes Echo hervor. Terkels Buch gab den Anstoß für eine ganze Reihe von Sammlungen der Geschichtsschreibung anhand mündlich überlieferter Quellen, denen wir ein einzigartiges Panorama des amerikanischen Lebens im 20. Jahrhundert zu verdanken haben, eine Chronik des

Lebens in den USA zur Zeit der Weltwirtschaftskrise, im Zweiten Weltkrieg und auch in den Jahren danach. Alle diese Bücher wurden zu höchst erfolgreichen Bestsellern, und nach und nach erhielt Terkel in Würdigung seiner Arbeit die höchsten literarischen und kulturellen Ehrungen, die in den USA vergeben werden.

Je mehr Zeit verstrich, desto klarer schälte sich heraus, daß Pantheon zwar keine Riesengewinne abwerfen, Random House aber auch kein Geld einbüßen würde. Die Bücher, die man zunächst für abenteuerlich gehalten und als sperriges neues Gedankengut mißtrauisch beäugt hatte, fanden sich zuletzt auf vielen Pflichtlektürelisten der Hochschulen der USA. Auch unsere Backlist verkaufte sich von Jahr zu Jahr besser, was allein schon den Großteil der Kosten des Verlags einbrachte. Als wir uns von Random House trennten, beliefen sich die Umsätze von Pantheon auf 20 Millionen Dollar, was für einen unabhängigen Verlag recht ordentlich ist, in der Jahresbilanz des gesamten Verlagsimperiums von Random House mit einer Summe von knapp einer Milliarde Dollar allerdings nur einen winzigen Bruchteil ausmacht. Auch wenn es intellektuell gesehen Erfolg hatte, brachte das von uns lancierte Experiment unseren Eigentümern keine nennenswerten Gewinne ein. Umgekehrt war Pantheon noch immer die Art von Firma, die ein ernsthaftes Verlagshaus nur allzugern als Teil seines Gesamtprogramms betrachtet.

Ironischerweise bahnten sich eben zur selben Zeit, als wir unsere optimistischen Bemühungen an unser im Umbruch befindliches soziales Umfeld anzupassen versuchten, in den großen Verlagshäusern, in denen wir in Lohn und Brot standen, einschneidende Veränderungen an. So wurde Random House vom riesigen Elektronikimperium RCA geschluckt, ein Schritt, der ein klassisches Beispiel für die Geschäftspraxis der Großkonzerne abgibt. Nach den ersten paar Jahren unter neuer Regie war die Politik der Rationalisierung, die im amerikanischen Verlagswesen zunehmend um sich griff, auch bei uns zu spüren – allerdings nur Schritt für Schritt. So fing Random House an, manche der Rendite-erwartungen an uns weiterzureichen, die seinerzeit im Verlagswesen, als Gesamtheit betrachtet, längst üblich waren. Die Überschüsse aus unserem hocherfolgreichen Kinderbuchprogramm wurden uns nicht länger zugeordnet, ebensowenig die Erlöse, die wir mit unseren Büchern erzielten, wenn sie an den Colleges als Lehrbücher übernommen wurden. Da Publikumsverlage aber bekanntlich im Grunde unrentabel sind, ist jeder Verlag auf zusätzliche Einnahmen aus diesen gewinnträchtigeren Sparten sowie auf Nebenrechtseinnahmen angewiesen, wenn er am Jahresende schwarze Zahlen schreiben will. Es dauerte jedoch nicht lange, bis die Regeln wiederum verändert wurden – jetzt wurde von jedem Titel erwartet, daß er einen ausreichend großen Beitrag sowohl zur Deckung der Gemeinkosten als auch zum Gewinnerlös beisteuere. Außerdem erwartete man ab sofort von Quartal zu Quartal eine Gewinnsteigerung, obwohl diese Vorgabe selbst in den kommerziellsten Unternehmen der USA nur schwer zu erfüllen ist. Robert Bernstein, der neue Leiter von Random House, mußte sich diesem permanenten Erwartungsdruck beugen, der an uns bei Pantheon jedoch, mit den beiden genannten Ausnahmen, nicht weitergereicht wurde.

Doch der Testballon, den der Elektronikgigant RCA 1965 mit seinem Kauf von Random House gestartet hatte, erwies sich als Fehlschlag. Zu jener Zeit hatte nämlich jedermann in der Wall Street auf die Zauberformel »Synergieeffekte« gesetzt. Daher war man davon ausgegangen, daß RCA sich zukünftig im neuen Geschäft der Lernmaschinen tummeln wollte, einer frühen und gescheiterten Variante dessen, was später von den Computern eingelöst wurde. Die Lehrbücher von Random House, so die Annahme, würden diesen Vorstoß erleichtern und somit allen Beteiligten Vorteile einbringen. Das Problem war nur, daß man leider den Ankauf des Verlags nie gründlich überlegt hatte, vor allem aber hatten die Leute von RCA nie begriffen, daß die

Lehrbücher bei Random House stets zu den Problemkindern zählten. Und außerdem war aufgrund der geltenden Antitrust-Gesetzgebung nicht ohne weiteres an die Zulässigkeit konzerninterner Abmachungen dieser Art zu denken. Ergo hielt Random House nicht, was sich RCA erwartet hatte – was übrigens bei Holt und CBS um keinen Deut anders ausfiel. Alle diese großen Konzernaufkäufe waren ein paar Jahre früher oder später zum Scheitern verurteilt, was die großen Verlage in die fatale Lage gestrandeter Wale manövrierte, die nicht recht wußten, wer sie jetzt retten sollte.

Heutzutage kommt es einem so vor, als berichteten die Zeitungen jede Woche von einem großen neuen Buchverlagszukauf durch einen der großen Weltkonzerne. Aus diesem Grund könnte es nützlich sein, sich einmal das eine Beispiel etwas näher anzusehen, das ich aus nächster Nähe erlebt habe. Die Details mögen sich unterscheiden, aber das Grundmuster der Melodie ist mittlerweile wohlbekannt. Und es ist ohne Frage eine Melodie, die bald in aller Welt gespielt werden wird, und zwar wieder und wieder.

Der von RCA Ende der siebziger Jahre gefällte Entschluß, Random House zu verkaufen, brachte das Verlagshaus in arge Bedrängnis. Denn etwa zur gleichen Zeit standen mehrere andere namhafte Verlage ebenfalls zum Verkauf, und alle hatten es äußerst schwer, einen Käufer zu finden. Überdies war Random House inzwischen einerseits zu groß, als daß ein Privatmann den Verlag hätte kaufen können, andererseits wäre eine Kapitalerhöhung durch Ausgabe neuer Aktien sehr kompliziert gewesen. Überhaupt sah die Sache schlecht aus: Alle Großkonzerne, die in den letzten Jahren in der Buchbranche im Kaufrausch unterwegs gewesen waren, hatten ausnahmslos dieselben negativen Erfahrungen gemacht. Es waren also keine Interessenten in Sicht, die der Geschäftsführung von Random House auf Anhieb hätten einfallen können.

Daher waren Bob Bernstein und seine Kollegen enorm erleichtert, als S. I. Newhouse auf sie zukam. Newhouse zählte seinerzeit mit Rupert Murdoch zu der kleinen Handvoll von Multimilliardären im Mediengeschäft. Er und sein Bruder Donald hatten von ihrem Vater eine Kette zweitklassiger Tageszeitungen geerbt, die nichtsdestotrotz sehr hohen Profit abwarfen. Dank vielgeschmähter Blätter wie beispielsweise dem auf Staten Island erhältlichen *Advance* oder dem unsäglichen *Star Ledger* aus Newark, New Jersey, hatten die beiden Brüder Newhouse ein Vermögen angehäuft, das ihnen den Kauf des Condé-Nast-Zeitschriftenimperiums sowie eines Netzwerks hochprofitabler Kabelfernsehsender erlaubt hatte. Die beiden Brüder waren alleinige Herren und Besitzer ihres Reichs, hatten keine Aktionäre und auch sonst keine Menschenseele, vor der sie Rechenschaft ablegen mußten, niemanden, mit dem sie ihre Profite teilen mußten. Und wie es hieß, besaßen sie mindestens zehn Milliarden Dollar.

Si, wie S. I. Newhouse genannt wird, war seinerzeit eine allgemein bekannte Figur, die gleichzeitig ein wenig umstritten war. Berühmt war er vor allem wegen seiner Kunstsammlung, die er mit sachkundiger Beratung durch Alex Lieberman, den Chefredakteur der *Vogue*, zusammengetragen hatte. Vom Scheitel bis zur Sohle machte Si Newhouse den Eindruck eines geistig beschlagenen und kultivierten Milliardärs. Und wie kolportiert wurde, hatte er einmal, ohne auch nur eine Sekunde lang zu zögern, 17 Millionen Dollar für einen Jasper Johns ausgegeben, den er später mit augenscheinlich demselben Gleichmut mit 10 Millionen Verlust wieder abgestoßen hatte. Wie konnte die läppische Summe von 60 Millionen Dollar, die für Random House veranschlagt war, einem Mann dieses Kalibers Kopfschmerzen machen?

Zufällig hatte ich Si Newhouse und seine Frau Victoria, die französischsprachig aufgewachsen war, bereits früher über andere Zusammenhänge kennengelernt. Irgendwann einmal hatte ich nämlich die amüsante Ehre gehabt, den beiden den »federal arts grant« (d. h. einen Zuschuß aus dem vom Bund verwalteten Topf für Kunstförderung) zuzusprechen, den Victoria Newhouse in ihrer Eigenschaft als Inhaberin eines kleinen gemeinnützigen Verlages für Architekturbücher beantragt hatte. Aus diesem Grund geschah es anläßlich eines geselligen Beisammenseins und nicht etwa anläßlich einer geschäftlichen Besprechung, daß Si mich eines Tages beiseite nahm und fragte, ob sich ein Ankauf von Random House meines Erachtens für ihn lohnen könne. Ich antwortete, die Kaufofferte biete eine einzigartige Chance, sofern er seinem Imperium den renommiertesten US-Buchverlag beigesellen wolle. Törichterweise fügte ich im Nachsatz hinzu, daß er die günstige Gelegenheit aber lieber ungenutzt verstreichen lassen solle, falls er die Absicht habe, bei Random House mehr Geld zu verdienen als in seinen übrigen Unternehmensbereichen. Newhouse quittierte dies nur mit einem höflichen Lächeln, mutmaßlich amüsiert ob der Naivität und Unschuld eines seiner potentiellen neuen Mitstreiter.

Als Newhouse die Verlagsgruppe Random House im Jahre 1980 übernahm, tat er dies mit folgenden, im Brustton der Überzeugung abgegebenen Versicherungen: Erstens habe er den Verlag aufgrund der Meriten gekauft, die dieser sich in den Gefilden des Intellekts und der Kultur erworben hatte. Zweitens habe er keineswegs die Absicht, einen Buchverlag zu leiten, und drittens sei er vollauf zufrieden mit den derzeitigen Mitarbeitern und habe deshalb nichts anderes vor, als uns auch weiterhin das tun zu lassen, was wir bisher so bravourös geleistet hätten – er wolle uns lediglich größere Geldmittel zur Verfügung stellen. Exakt dieselben Versprechungen machte Newhouse ein paar Jahre später, als er den *New Yorker* kaufte und die Zeitschrift blumig mit einem Rembrandt verglich, den er sich an die Wand zu hängen und zu bewundern wünsche. Beim *New Yorker* waren die oben zitierten Versprechen binnen Jahresfrist gebrochen, bei Random House sollte es etwas länger dauern.

Im nachhinein liegt auf der Hand, daß wir alle den von Newhouse gemachten Versprechungen in einer Mischung aus Leichtgläubigkeit und Unschuld gelauscht hatten. Natürlich wollte jedermann gerne an das Bild des reichen Patenonkels aus dem Feenreich glauben, dessen zehn Mil-

liarden Dollar schwerer Zauberstab alle Probleme hinweg-
fegen würde, die sich einem Verlag in den Weg stellen
konnten. Meines Wissens hielt kein einziger von uns im
Verlag Rücksprache mit Kollegen in den anderen Unternehmensbereichen von Newhouse, um herauszufinden,
wie er den Rest seines Imperiums führte und zu welchen
Kosten. Hätten wir nachgefragt, wäre ein klares und alar-
mierendes Muster erkennbar geworden. Als Newhouse
nämlich die Condé-Nast-Zeitschriftengruppe übernommen hatte, zwang man dort einer Redaktion nach der anderen dieselben Änderungen auf: Jedesmal hieß es, das
Blatt sei zwar derzeit höchst erfolgreich, trotzdem richte es
sich an eine viel zu kleine Leserschaft und könne mithin
unmöglich genügend profitabel wirtschaften. Selbst wenn
die Zeitschriften tatsächlich eine Menge Geld abwarfen,
tat man das locker als allenfalls einen Bruchteil des wahren
Potentials ab. Um dem Mißstand abzuhelfen, wurde *Vogue*
von einem traditionell an elitären Stilbegriffen ausgerichteten Modemagazin zu einem Blatt umgemodelt, das einen
ungleich größeren und spießigeren Käuferkreis ansprach.
Dieser Umbruch wurde freilich nur von einer sehr kleinen
Schar von Lesern beklagt. Weit gravierender fielen dagegen die radikalen Änderungen ins Gewicht, mit denen die
Zeitschrift ihr Werbeaufkommen zu steigern versuchte.
Man stellte nämlich die gesamte Gestaltung um, bis die
Trennlinie zwischen Artikeln und Anzeigen so gut wie ausgelöscht war, weshalb der Leser nur noch bei aufmerksam-
ster Lektüre unterscheiden konnte, was er gerade las. Die
Unterscheidung zwischen eigenständiger Reportage und
werbefinanzierter Lobhudelei wurde dabei als allererstes
über Bord gekippt – folgerichtig bezahlte *Vogue* dem Chef
des Ressorts Reisen nicht länger die Dienstreisen: Das
übernahmen jetzt die Fluggesellschaften und alle sonstigen Firmen, die gerne ein positives Bild von sich gezeich-
net sehen wollten. Es ging der Verlagsleitung dabei beileibe
nicht um die Einsparung von ein paar tausend Dollar, sondern im Gegenteil darum, den Inserenten ein Umfeld zu

garantieren, das ihnen nicht allein wohlwollend entgegenkam, sondern genügend korrupt war, um allen Betroffenen die Sicherheit zu vermitteln, daß ihre Interessen jedenfalls an allererster Stelle standen.

Früher oder später trafen diese Änderungen alle Zeitschriften, die Newhouse aufgekauft hatte, von *Mademoiselle* angefangen bis hin zum *New Yorker*. Denkt man an den *New Yorker*, so hatte Newhouse hier eine Zeitschrift radikal verändert, die allzeit stolz darauf gewesen war, glasklar zwischen Werbung und Inhalt zu trennen, ja die sich gerade über diese Trennung definiert hatte – zuletzt brachte man dort regelmäßig Sonderhefte zu naheliegenden Themen wie etwa Mode heraus, mit denen man unter Garantie neue und vermutlich höchst lukrative Werbeetats an Land ziehen würde.

Erst im Rückblick liegt die Unvermeidbarkeit der Wiederholung dieses Musters bei Random House offen auf der Hand, doch hätten wir dies gleich von Anfang an merken können, wenn wir ein wenig klüger gewesen wären. Obwohl Newhouse anfangs behauptet hatte, sich aus Lektoratsentscheidungen herauszuhalten, nahm er schon bald bestimmte Änderungen bei Random House vor, die den Verlag in eine eindeutig kommerziellere Richtung drängten. So wurde Randoms – profitable – Abteilung für Collegelehrbücher sehr rasch verkauft, wobei Newhouse so erpicht war, den Laden endlich loszuwerden, daß er sich anfangs sogar auf eine Kaufsumme einlassen wollte, die nur die Hälfte dessen betrug, was er zuletzt kassierte. Die bei diesem Verkauf erlösten Gelder wurden postwendend für den Ankauf von Crown Books verwendet – einen der krassest auf Kommerz ausgerichteten US-Verlage, der den Buchhaltern von Newhouse die Verheißung endloser Verkaufsschlager in den Rubriken Schmonzetten und Marktgängiges übelster Sorte in Aussicht stellen mochte, sich dann jedoch als weit weniger profitabel erwies, als Newhouses Rechenkünstler angenommen hatten. Hier wie bei anderen Transaktionen der neuen Geschäftsleitung war unübersehbar, daß der brennende Wunsch nach mehr Profit alle gängigen Vorbehalte von Umsicht und Sorgfalt ausstach. So wurden immense Summen beim Verkauf und Zukauf von Teilen der Random House-Gruppe verpulvert, die allesamt der Pauschalannahme entsprangen, daß allein die Vulgarisierung den sicheren Weg zu höheren Profiten bahne; exakt das gleiche geschah dann später beim *New Yorker* und anderen Zeitschriften, die Newhouse geschluckt hatte.

Im Lektorat zeigte sich ebenfalls dasselbe Muster: Newhouse persönlich bestand darauf, daß Random House für ein Buchprojekt einen Riesenvorschuß an Donald Trump auszahlte, jenen lachhaften Immobilienhai aus New York City, dessen Abenteuer und zahlreiche Flops der Regenbogenpresse Stoff für endlose Serien von Artikeln lieferten. Newhouse, der stets mit großer Bewunderung von all denjenigen seiner Milliardärskollegen sprach, die in der Fernsehserie *Lives of the Rich and Famous* abgehandelt wurden, konnte dem Lockruf des Glitzertalmi offenbar ebensowenig entfliehen wie Motten dem Licht. Ähnlich exorbitante Vorschüsse wie bei Trump wurden auch noch an andere Leute bezahlt, die ganz offenkundig nur sehr wenig zu sagen wußten, von denen man aber annahm, daß allein ihr Name schon die Neugier des Massenpublikums anstacheln würde. So spuckte man beispielsweise rund drei Millionen Dollar Vorschuß für Nancy Reagans Memoiren aus, von denen im Buchverkauf nur ein verschwindend kleiner Teil wieder eingespielt wurde, was einen hellen Kopf zu der Frage veranlaßte, ob dieser Vorschuß eigentlich als Vorschuß auf Tantiemen oder nicht vielmehr als Trinkgeld für von den Reagans geleistete Dienste gedacht gewesen sei.

Murdoch hielt seine Verlagsleiter bei HarperCollins ebenfalls an, ähnlich absurde Vorschüsse zu bezahlen, wobei diese allerdings vielfach an Vertreter eines ähnlich konservativen Weltbilds wie das des Verlegers gingen. So überwies HarperCollins dem Kriminalautor Jeffrey Archer, damals Vorsitzender der Konservativen in England, stolze 35 Millionen Dollar als Vorschuß für drei Romane, die dann so fulminant durchfielen, daß die Bilanzen der amerikanischen Tochter von HarperCollins ernstlich in Mitleidenschaft gezogen wurden. Nur wenig später führte Newhouse innerhalb der Random House-Gruppe ein fest institutionalisiertes System zur Ermutigung und Maximierung dieser Narrheiten ein, indem er zuließ, daß die verschiedenen Verlagsleiter des Gesamthauses bei Auktionen um die Vergabe von Buchrechten und bei Verhandlungen mit Agenten gegeneinander statt miteinander boten, wie es zuvor immer der Fall gewesen war.

All diese neuen und reichlich extravaganten Umtriebe stießen dem damaligen Leiter von Random House unangenehm auf. Bob Bernstein war zwar seinerseits auf der Kommerzschiene des Verlags groß geworden – er hatte ursprünglich den Vertrieb geleitet –, doch im Grunde seines Herzens war er ein ernsthafter Büchermensch, dem die Rolle sehr wohl am Herzen lag, die der von ihm geleitete Verlag im kulturellen Leben der Vereinigten Staaten und der Welt insgesamt geltend machen konnte – und daher fühlte er sich zunehmend unwohl angesichts der Zwänge, die ihm Newhouse zumutete.

Trotz der genannten Managementfehler ging es Random House finanziell immer besser. Der Bilanzwert des im Jahre 1980 für 60 Millionen Dollar gekauften Verlags war zehn Jahre später in etwa auf 800 Millionen geklettert. Dieser spektakuläre Sprung auf das beinahe Fünfzehnfache des ursprünglichen Bilanzwerts reichte Newhouse jedoch noch immer nicht. Er drängte auf immer höhere Jahresgewinne, und Random House schaffte es einfach nicht, die vom Eigentümer gewünschten Rentabilitätszuwächse zu erreichen, obwohl der Verlag immerzu schwarze Zahlen schrieb. Da Newhouse seine Bilanzen geheimhielt, hatten wir keinen blassen Schimmer, wie dieser Widerspruch zu erklären war – doch Newhouses Sorgen rührten zum Teil daher, daß neun der elf Zeitschriften seiner Condé-Nast-Gruppe tief in die roten Zahlen geraten waren, weil er dort mit unglaublichen Summen um sich geworfen hatte. Vermutlich

hatte er gehofft, Random House könnte sich in einen Spring-
quell des Reichtums ummodeln lassen, der diese Gelder
wieder einspiele – dasselbe hatte er sich freilich bereits von
den Zeitschriften erhofft. Die ungeheuren Vorschüsse, die
man bei Random House für potentielle Renner auf den
Tisch blätterte, lassen sich vor diesem Hintergrund als zunehmend verzweifelte Versuche begreifen, diese Schlacht
um solides Wirtschaften doch noch zu gewinnen. Auch hier
finden sich Parallelen im Reich Murdochs, wo man auf
ziemlich dieselbe tollkühne Manier ebenso exorbitante Vorschüsse zahlte – die Verrücktheit des einen Verlags ver-
stärkte nur die des anderen. Und solange die beiden Häuser gewillt waren, mit immer höheren Millionensummen
gegeneinander anzutreten, konnten die Agenten der Autoren ihre Preise ins Unendliche steigern. Einer der beiden
Konkurrenten mußte schließlich irgendwann auf der
Strecke bleiben, aber solange dieser Punkt noch nicht erreicht war, ging das Zigmillionen–Dollar-Spiel weiter.
Als sich das beschriebene Muster allmählich überall im
Verlagswesen durchsetzte, kehrten immer mehr Lektoren
bereits nach kurzer Zeit Random House den Rücken, weil
ihnen der Erwartungsdruck, fortwährend höhere Profitmar-
gen zu erzielen, widerstrebte. Das gegenüber den Autoren
dadurch entstehende Vakuum füllten daraufhin die literarischen Agenten, die jetzt zunehmend zum festen Bezugs-
punkt der Schriftsteller wurden – der Agent war der einzige,
von dem man annehmen konnte, daß man auch zukünftig
mit ihm zusammenarbeiten würde. Aus diesen verständ-
lichen, durchaus nachvollziehbaren Überlegungen ent-
wickelte sich jedoch ein neues System der Beziehungen
zwischen Autor, Agent und Verleger, das auf lange Sicht
katastrophale Folgen haben sollte.
Als ich im Verlagswesen anfing, kam beispielsweise der
Optionsklausel in einem Buchvertrag noch eine echte Bedeutung zu. Der Autor versicherte darin, daß er dem zuständigen Lektor sein nächstes Buch anbieten werde, und
in den meisten Fällen akzeptierte der das Manuskript; die

Verlage waren schließlich dafür bekannt, daß sie das Gesamtwerk der wichtigsten Schriftsteller zu veröffentlichen suchten. Bei Knopf zum Beispiel war man stolz darauf, daß Harald Strauss, der Lektor des Literaturverlags, Dutzende der in den USA erschienenen Bücher der berühmtesten Autoren Japans betreut hatte. Und es wäre auch unvorstellbar gewesen, wenn ein eingeführter Autor von einem Haus wie Knopf hätte hören müssen, von seinem neuen Buch könne man vermutlich nicht genügend Exemplare verkaufen, so daß der Verlag es leider nicht veröffentlichen könne. Oder: Als man Alfred Knopf Thomas Manns *The Black Swan* (so der Titel der englischen Übersetzung von Manns Erzählung *Die Betrogene*) zugeschickt hatte, antwortete er natürlich nicht, er wolle lieber noch abwarten, bis Mann etwas kommerziell Tauglicheres liefere.

Je wichtiger aber die Agenten wurden, desto mehr fielen solche Überlegungen unter den Tisch. Jetzt wurde ein Buch nicht mehr nur an den bisherigen Verleger eines Autors geschickt, sondern statt dessen an ein halbes Dutzend möglicher Interessenten. Auktionen traten an die Stelle früherer Verhandlungen, bei denen es dem Verleger zustand, im Sinne der Optionsklausel ein akzeptables Angebot zu unterbreiten. Wie Michael Korda in seinen Memoiren berichtet, machten es sich viele literarische Agenten zur Gewohnheit, selbst dann mit den Namen mancher berühmter Autoren bei den Verlagen hausieren zu gehen, wenn sie die betreffenden Schriftsteller überhaupt noch nicht vertraten! Sobald ein Verlag den Köder geschluckt hatte, trat der Agent dann mit einem verlockenden Angebot an den betreffenden Autor oder die Autorin heran.

Freilich ging es auch bei solchen Verhandlungen um Summen, die allen Beteiligten noch einleuchtend erschienen. Doch zunehmend schlugen beide Seiten, sprich Verleger wie Agenten, alle Vernunft in den Wind. Als sie jetzt versuchen mußten, ihre bekannten Autoren zu halten oder umgekehrt andere zu finden, die ihnen quasi garantierte Bestseller liefern würden, waren die Verlage plötzlich bereit, mit den Zugpferden ihrer Neuerscheinungsliste nicht nur weniger Geld zu verdienen, sondern womöglich sogar empfindliche Verluste hinzunehmen. Die Agenten bekamen diesen Meinungsumschwung im Nu mit und nutzten ihn in der Folge gnadenlos aus.

Zieht man all das in Betracht, war Pantheons Zukunft deutlich gefährdet. Ungeachtet vieler Protestbekundungen, in denen dem Verlag Unterstützung und auch Bewunderung ausgedrückt wurden, kursierten ein paar Jahre nach dem Besitzerwechsel hartnäckig die Gerüchte, daß Newhouse darauf brenne, Pantheon endlich dichtzumachen. Angeblich war es einzig und allein Bernstein zu verdanken, daß Pantheon überhaupt noch Neuerscheinungen veröffentlichen könne. Trotz dieser Unwägbarkeiten behielt der Titelkatalog von Pantheon im Laufe der achtziger Jahre sein altgewohntes Profil; auch die Buchverkäufe stiegen, zudem gelangte eine immer größere Zahl von Titeln auf die Bestsellerlisten der *New York Times*. Außerdem experimentierten wir erfolgreich mit neuen Buchkonzepten, die darauf zielten, einer spürbar stärker an Bildern als an Wörtern orientierten Generation wichtige Inhalte nahezubringen. So setzten wir zum Beispiel fast eine Million Exemplare unserer illustrierten *Beginners*-Reihe ab, Titel wie *Marx for Beginners* oder *Freud for Beginners*, die sich ursprünglich der mexikanische Autor und Zeichner Ruiz ausgedacht hatte, als er einem Massenpublikum politische Theorie vermitteln wollte. (Einige der von uns in dieser Serie produzierten Titel wurden in Frankreich von La Découverte und in Deutschland von Rowohlt übernommen.) Ferner begannen wir mit der Veröffentlichung einer Reihe von Romanen mit avantgardistischem Graphikkonzept, als deren erfolgreichstes Beispiel Art Spiegelmans *Maus* zu nennen ist. Dieses Buch, das von Dutzenden von US-Verlagen abgelehnt worden war, wurde in den Vereinigten Staaten in mehreren hunderttausend Exemplaren verkauft und gewann außerdem noch den prestigeträchtigen Pulitzer-Preis. Trotz all dieser stattlichen Erfolge brachte es der bei Pantheon erzielte Umsatz auf noch nicht einmal zwei Prozent des gesamten Jahresumsatzes von Random House, war jeder Beitrag, den wir zum Gewinn oder zum Verlust beisteuern mochten, ohnehin nicht weiter von Belang. Es gab Jahre, in denen Pantheon ein bißchen Geld einbrachte, und Jahre, in denen der Verlag die von Random House für ihn angesetzten Gemeinkosten nicht zu hundert Prozent abdeckte, aber es gab kein einziges Jahr – wie Bernstein oft insistierte – in dem die Gesamtgruppe tatsächlich bares Geld hätte zuschießen müssen.

Gegen Ende der achtziger Jahre beschloß Newhouse, daß Bernstein seinen Posten räumen müsse. Mit haargenau der gleichen Brutalität, die das Absägen der diversen Chefredakteure und Herausgeber der von Newhouse aufgekauften Zeitschriften gekennzeichnet hatte, gab man der verdutzten Verlagswelt 1990 Bernsteins »Rücktritt« bekannt. Diese Nachricht wurde zwar auf der Titelseite der *New York Times* gebracht und schlug sich in der Folge in einer ganzen Reihe von Artikeln nieder, trotzdem zog letztlich niemand die naheliegenden Schlüsse und fragte genauer nach, was Newhouse und Co. zukünftig bei Random House ändern wollten. Was sich ändern sollte, wurde aber schon bald darauf deutlich, als Newhouse Alberto Vitale als Nachfolger Bernsteins einsetzte. Vitale hatte seine berufliche Laufbahn in Italien als Banker begonnen und war nach Amerika ausgewandert, als er im Bankwesen keinen Erfolg gehabt hatte; in den USA brachte er es schließlich zum Chef der amerikanischen Bertelsmann-Töchter, die zum damaligen Zeitpunkt allerdings erst die Verlage Doubleday, Bantam und Dell umfaßten. Wie im nachhinein bekannt wurde, hatte Vitale seinen Job als Buchverleger eigentlich aufgeben wollen, als Newhouse ihn ansprach und ihm den Posten anbot, der vielen als die wichtigste Position im amerikanischen Buchverlagswesen überhaupt galt. Liest man einmal die diversen Biographien über Newhouse sowie die Memoiren der Leute, die für ihn gearbeitet haben, wird einem rasch klar, daß Si Newhouse, der ein sehr scheuer und mißtrauischer Mensch ist, eine Vorliebe für diametral anders gelagerte Charaktere an den Tag legt, also stets die Sorte von Managern bevorzugt, die wie Totschläger auftreten (oder es im Innersten tatsächlich sind), sich ganz und gar intellektuellenfeindlich geben und allzeit die Pose des knallharten Burschen einnehmen, der keinen Händeln aus dem Weg geht und vor allem (denn darauf kommt's an) den Profit zu steigern versteht.

Uns bei Pantheon wurde Vitale jedoch als kultivierte und sensible Persönlichkeit vorgestellt, ein Eindruck, den der neue Verleger freilich schon bald korrigierte, indem er hartnäckig behauptete, er habe viel zu viel um die Ohren, um jemals ein Buch zu lesen. Nach einiger Zeit ging Vitale von diesem Grundsatz ab und willigte ein, sich immerhin einmal die Romane von Judith Krantz zu Gemüte zu führen, einer bekannten und höchst populären Kitschautorin, die dem Verlag Crown Books schon so manchen Bestseller beschert hatte. Als ich Vitale im schmucken Townhouse der Newhouses in der East Side das erste Mal vorgestellt wurde, begrüßte er mich mit dem Ausruf: »Ah, Pantheon, where all those marvelous books come from.« Erst später begriff ich, daß dieser Satz als Vorwurf und nicht etwa als Kompliment gedacht gewesen war, denn wie sich zeigte, hatte sich Vitale als eines der ersten Ziele vorgenommen, Pantheon abzuservieren.

Kaum hatte er sein Amt angetreten, machte aufs neue das Gerücht die Runde, daß Random House sich in Kürze von Pantheon trennen wolle. Dies war wieder einmal – wie wir im nachhinein wissen – ein fester Bestandteil der üblichen Geschäftspraxis der Unternehmensgruppe Newhouse, deren Drahtzieher bewußt Gerüchte einsetzten, sobald es darum ging, die Stellung von jemand zu schwächen, der oder die in Ungnade gefallen war, sei es, um besser mit dem Betreffenden verhandeln zu können (wie dies vermutlich bei Tina Brown, der Chefredakteurin des *New Yorker*, der Fall war), sei es, um die ersten Schritte einer in absehbarer Zeit fälligen Trennung vorzubereiten. Obwohl Random House aufgrund des unklugen Ankaufs von Crown immense Summen abschreiben mußte, rückte schon bald die ungenügende Rentabilität von Pantheon ins Zentrum der Aufmerksamkeit. Es folgte eine Reihe von Besprechungen, dank derer meinen Kollegen und mir klar wurde, daß das Schicksal von Pantheon bereits besiegelt war. Unter anderem war Vitale der Ansicht, daß wir weit rentabler wirtschaften könnten, wenn wir die Zahl unserer Neuveröffentlichungen und unseres Personalbestands um zwei Drittel reduzierten und uns in erster Linie auf die Titel mit den größten Auflagenzahlen konzentrieren würden. Wir hatten aber schon seit langem argumentiert, daß es völlig sinnlos wäre, wenn Pantheon den kommerziellen Erfolg anderer Teile der Random House-Gruppe zu kopieren versuchte, da diese Verlagsuntergruppen mit Spezialisten für solche Dinge besetzt waren, wohingegen die Stärke von Pantheon im Aufbau einer Backlist lag, die sich auf lange Sicht verkaufen ließ. Trotzdem nahmen wir die Pflichtübung auf uns, uns von den Finanzplanern bei Random House eine Modellbilanz ausarbeiten zu lassen, die zeigen sollte, daß Pantheon bei weitem *weniger* rentabel arbeiten würde, wenn wir die Zahl der Neuerscheinungen nach dem vorgeschlagenen drakonischen Muster zurückstutzen würden.

Eine entscheidende Verlagsbesprechung machte deutlich, wie weit unsere Standpunkte auseinander lagen. Vitale schaute sich die Titel an, die wir demnächst veröffentlichen wollten – einen Titelkatalog, auf den ich besonders stolz war. »Wer ist dieser Claude Simon?« fragte er verächtlich, da er offensichtlich noch nie von ihm gehört hatte, »und wer ist dieser Carlo Ginzburg?« – auch ihn, vermutlich den bekanntesten italienischen Historiker, kannte er nicht. Als nächstes fiel mir auf, daß Vitales Augen immer auf der rechten Kante des Blatts ansetzten, wo die Auflagenhöhen der geplanten Bücher aufgelistet waren, um erst dann zu den verwirrenden Titeln hinüberzuwandern. Wir kamen dem Mann offenbar vor wie Schuhfabrikanten, die

Schuhe in Größen fertigen ließen, die den meisten Kunden ohnehin zu klein waren. Wozu Bücher mit solch kleinen Auflagen drucken? Schämten wir uns denn gar nicht? Wie könne ich am Morgen in den Spiegel sehen, wenn ich derart hoffnungslos unrentable Bücher veröffentliche? Ironischerweise verzeichnete eben dieser Neuerscheinungskatalog die ersten Bände einer Buchreihe, von der schon bald darauf mehr als eine Million Exemplare verkauft wurden, nachdem der Autor und sein Lektor nach der Schließung von Pantheon zu einem anderen Verlag gegangen waren. Nach unserem Kalkül hätten diese Bücher die bei den sperrigeren Titeln eingefahrenen Verluste mehr als genügend wettgemacht. Aber die neue Ideologie lief nun einmal darauf hinaus, daß jedes Buch aus eigener Kraft Geld bringen müsse und man nicht länger zulassen dürfe, daß ein Titel einen anderen subventioniere.

Der Abbau von Personal und die Reduktion des Neuerscheinungskatalogs war aber nur ein Teil des Gesamtprogramms: Vitale teilte mir des weiteren sehr deutlich mit (auch wenn er dies später natürlich abstritt), daß wir endlich aufhören sollten, »so viele linke Bücher« zu drucken – statt dessen sollten wir uns künftig nach rechts orientieren. Es war uns schon lange klar gewesen, daß Newhouse nicht allzu glücklich über die Veröffentlichung von Sachbüchern war, deren politischer Standpunkt ihm mißfiel; vermutlich war die Ausmerzung dieser Steine des Anstoßes nun einer der Gründe, warum man Pantheon ganz oben auf die Liste der »Probleme« gesetzt hatte, die es zu lösen galt. Newhouse, von dem man wußte, daß er schon seit seiner Studentenzeit deutlich rechtslastig eingestellt war, hatte gleichermaßen gegen die Bücher sowjetischer Dissidenten protestiert, die Bernstein verlegte, wie gegen die Texte amerikanischer Dissidenten, die wir verlegten. Binnen weniger Monate sollten beide Dornen aus seiner Tatze entfernt werden.

Je länger diese Besprechungen dauerten, desto klarer wurde, daß wir Teilnehmer einer Farce, sprich einer rein symbolischen Pflichtübung waren. Was sich hier abspielte, ähnelte weit eher einer Fabrikstillegung in der Schwerindustrie als der Debatte über die Zukunft eines Verlagshauses. Törichterweise waren wir immer davon ausgegangen, daß wir es mit Gesprächspartnern zu tun hätten, die ihre Meinung ehrlich aussprechen und sich die unsere mit zumindest einer gewissen Aufgeschlossenheit anhören würden. Doch von Anfang an zeigte sich, daß dies nicht der Fall war und die bei einem Treffen geäußerten Argumente und Versprechungen bei der nächsten Konferenz sofort wieder vehement abgestritten wurden. Diese dauernden Lügen brachten mich zu der Überzeugung, daß alle Diskussionen sowieso zwecklos waren. Das ganze Hin und Her lief wohl sowieso nur auf eins von zwei Zielen hinaus: Entweder wollte man Pantheon zu einem kleinen Verlag zurückstutzen, damit man dann ein oder zwei Jahre später nachweisen könnte, daß sich die Hoffnungen auf Rentabilität nicht materialisiert hatten, woraufhin man den Laden kurzerhand dichtmachte – oder aber man hatte schlicht vor, mir und meinen Kollegen den Verbleib bei Pantheon so zu versauern, bis wir aus eigenem Antrieb kündigen würden. Wie ich vermute, hatte man beschlossen, zunächst einmal Plan Nummer eins in die Praxis umzusetzen.

Mir war aber klar, daß meine Kollegen keinesfalls gewillt waren, diese Demontage von Pantheon hinzunehmen. Als sich deutlich abzeichnete, daß manche von ihnen den Laufpaß erhalten sollten, wußte ich, daß sie das nicht hinnehmen und statt dessen en bloc kündigen würden. Ich warnte daher Vitale und seine Mitstreiter, daß ihr Plan Nummer eins keine Aussicht auf Erfolg haben könne. Aber meine Drohung wurde mit einem Achselzucken abgetan. Normalerweise gebe niemand eine gute Stellung im Verlagswesen auf; der Betroffene bleibe lieber noch nach dem Ende der Lagebesprechung da und bringe unter vier Augen vor, daß die Geschäftsleitung besser den oder jenen Kollegen feuere und dafür den Bittsteller dabehalte, weil er auch unter den neuen Gegebenheiten rentabel zu wirtschaften wisse. Die Vorstellung, daß meine Kollegen en bloc aus Prinzip handeln könnten, muß Leuten, die solch konsequentes Handeln für sich ablehnten, schlicht undenkbar vorgekommen sein. Jedenfalls scheint es nach all den später gehörten Berichten großes Erstaunen hervorgerufen zu haben, daß die Mitarbeiter von Pantheon in Massen gekündigt hatten. Ähnlich sprachlos reagierte man auf die Demonstration, die bald darauf vor dem Verlagsgebäude stattfand. Meine Kollegen, von denen viele in den sechziger Jahren aufgewachsen waren, wußten sehr genau, wie Protest organisiert werden muß, und so waren binnen weniger Tage Briefe an unsere Autoren und andere Leute in aller Welt unterwegs, in denen Solidaritätsbekundungen und Protestnoten erbeten wurden. Als Folge entstand ein ungeheurer Aufruhr in der Öffentlichkeit. Hunderte von Leuten demonstrierten vor dem Sitz von Random House, Berge von Protestbriefen trafen bei Vitale ein, in der *New York Review* erschien eine ganzseitige Anzeige, unterzeichnet von Hunderten von Autoren – viele von ihnen bei Random House und nicht etwa bei Pantheon verlegt –, auch das *Publishers Weekly* brachte ein Editorial, in dem die Entscheidung von Newhouse und Vitale beklagt wurde, ohne daß man dabei ein Blatt vor den Mund genommen hätte.

Angesichts dieser unerwarteten und beispiellosen Protestwelle legte die PR-Maschinerie der Random House-Gruppe Überstunden ein. Man verteilte gefälschte Statistiken, die übertriebene Verluste aufführten, stritt die Absicht der Schließung von Pantheon glattweg ab und heuerte zuletzt, wenngleich für die kürzestmögliche Zeitspanne, einen Verleger an, dessen europäische Herkunft die Illusion nährte, er werde auch weiterhin die Buchtradition beibehalten, für die Pantheon von jeher stand. Dessenungeachtet marschierte Fred Jordan, der neue Verleger, ganz wie es seine Arbeitgeber intendiert hatten, mit dem kleinen Kreis von Leuten, die überhaupt noch in den Büros von Pantheon tätig waren, in die erste Konferenz und gab in seiner Grundsatzerklärung bekannt, daß man bei Pantheon ab sofort keine politischen Bücher mehr verlegen werde. Wirklich wurden bei Pantheon im Laufe des nächsten Jahres sämtliche Charakteristika des früheren Programms aufgegeben und der Verlag in Bausch und Bogen der Chefetage von Knopf unterstellt (Jordan brachte mit Mühe ein knappes Jahr hinter sich), woraufhin sich die Liste der Neuerscheinungen in nichts mehr vom Rest der Random House-Gruppe unterschied. Sämtliche Sachbücher zu umfassenderen gesellschaftlichen Fragen verschwanden rasch in der Versenkung, ebenso alle geistig und kulturell anspruchsvolleren Titel. Als Top-Titel des Herbstprogramms 1998 unter dem Signet Pantheon brachte man eine Sammlung mit Fotografien von Barbie-Puppen heraus.

Die Umbrüche bei Pantheon, so bitter sie mich trafen, waren aber nur ein Bruchteil einer grundsätzlichen Veränderung bei Random House insgesamt. In den folgenden Jahren der Ära Vitale wandelte sich der Charakter des Verlagshauses im Großen, wie es bei Pantheon im Kleinen geschehen war. Selbst das hochprofitable Programm von Knopf büßte nach und nach die anspruchsvollen Übersetzungen ein, mit denen sich der Verlag einen Namen gemacht hatte, dazu die Bücher in den Bereichen Philosophie und Kunstkritik. Random House selbst bewegte sich tiefer und tiefer in die Niederungen des Buchmarkts und konkurrierte immer verzweifelter mit Knopf um Titel, die jene Zigmillionen Dollar an Gewinn einfahren sollten, ohne die die Maschinerie nicht mehr funktionieren konnte. Das System, das zuließ, daß konkurrierende Teilunternehmen der Gesamtgruppe Random House gegeneinander boten, ja diesen Irrwitz mit allem Nachdruck förderte, schraubte die Vorschußsummen höher und immer höher; Analoges galt für die extravaganten Verpflichtungen, die man Autoren und Agenten bezüglich Werbung und PR-Kampagnen zusicherte. 1997 entschloß sich Random House zu einer Schwerpunktänderung bei Times Books, dem einzigen Imprint der Gruppe, der sich mit aktueller Zeitgeschichte und Politik beschäftigte. Wie der Name bereits erkennen läßt, hatten Times Books immer eng mit der *New York Times* kooperiert; der Verlag war insbesondere für seine Bücher aus der Feder von Journalisten und Persönlichkeiten des öffentlichen Lebens bekannt. Bei Times Books waren Bücher von Jelzin und Clinton erschienen, daneben auch die Elaborate weniger bekannter Größen der Politik. Trotz dieses im Vergleich zu Pantheon merklich kommerzieller ausgerichteten Programms sollte das Pantheon beschiedene Los bald genug auch Times Books treffen. Den Verlagsleitern wurde gesagt, die Rentabilität sei nicht gegeben, man wende zuviel Zeit für Bücher auf, die bei weitem zu anspruchsvoll seien, als daß sie jemals ein Massenpublikum erreichen könnten. Auch die Verlagschefs von Times Books mußten den Hut nehmen, und die Titelliste wurde sogleich in ein Programm umgemodelt, das von Stund an hauptsächlich aus »business books«, d. h. betriebswirtschaftlichen Texten, erbaulichen Gedanken von Wirtschaftskapitänen und ihren Ghostwritern sowie diversem anderem ökonomiehörigem Humbug bestand. Kurzum: Dasselbe bekannte Szenario wurde einmal mehr abgespult.

Zur gleichen Zeit kamen auch andere Großverlage zu ähnlichen Beschlüssen. Murdochs Verlagshaus HarperCollins machte als erstes sein Äquivalent zu Pantheon, Basic Books, dicht, um es kurz darauf zu verkaufen; dieser Schritt bedeutete das Aus für ein ausgezeichnetes Programm, das vor allem für seine Arbeiten in den Bereichen Psychoanalyse und Sozialwissenschaften bekannt gewesen war. Genau wie Pantheon hatte Basic nie echte Verluste eingefahren, aber sein Maßstab war eindeutig auf ein Fachpublikum und nicht auf die breite Masse zugeschnitten. Folgerichtig konnten die Bücher auch nie genügend hohe Verkaufszahlen erreichen, als daß sie den Harperschen Vorgaben in puncto Gewinn und Beitrag zur Gemeinkostendeckung entsprochen hätten. Nach zwei Jahren deprimierender »Neuerungen«, in denen das Lektorat verzweifelt nach populäreren Titeln Ausschau gehalten hatte, ließ man die Axt endgültig niederfahren. Ironischerweise wurde eine ähnliche Entscheidung auch bei Simon & Schuster getroffen, die kurz zuvor Free Press aufgekauft hatten, den eifrigsten Reaktionär unter allen US-Verlagen. In den Jahren unter Reagan hatte The Free Press ein Vermögen mit Büchern gescheffelt, die sich voll und ganz dem politischen Zeitgeist verschrieben hatten. Im Laufe der letzten Monate hatte sich die politische Haltung der Leserschaft aber geringfügig geändert, woraufhin Free Press ein oder zwei hochkalibrige Risikogeschäfte in den Sand setzte. Man muß es wohl eine Ironie des Schicksals nennen, daß es gerade eine Biographie über Hillary Clinton war, die den Verlag das meiste Geld gekostet hatte – der Autor hatte die bestellte Schmähschrift nicht mit genügend Geifer gestrickt, als daß sie dem angepeilten konservativen Lesepublikum gefallen hätte. Wild entschlossen, daß ihnen ein solcher Fehler kein zweites Mal passieren würde, weideten die Oberen von Simon & Schuster die Free Press bis auf die Knochen aus und verwandelten den Verlag ebenfalls in einen Laden für »business books«, mikroökonomische Lebensweisheiten usw. Selbst den Revolutionären der Rechten blieb die Lektion nicht erspart, daß die Revolution verläßlich ihre Kinder frißt, egal welcher politischen Couleur.

Der Ruf von Random House nahm zunehmend Schaden, als die Bücher des Verlags sich nicht länger von denen seiner kommerzieller orientierten Konkurrenten unterschieden. Auch der Talmiglitter und die vorlaute Kraftmeierei, die immer öfter die Buchvorstellungen neuer Titel begleiteten, fielen der Presse auf. Als Random House Ende 1998 schließlich endgültig seine Existenz als unabhängiger Verlag verlor, kommentierten viele der Nachrufe, das Verlagshaus sei ohnehin längst nicht mehr das gewesen, was es vor der Übernahme durch Newhouse gewesen sei. Trotzdem war das Ende von Random House ein Menetekel am düsteren Himmel der amerikanischen Verlagswelt. Nach neun Jahren der Statthalterschaft Vitales war Newhouse zu dem Schluß gekommen, daß das Unternehmen nie die Rentabilität erreichen würde, die versprochen worden war.

Newhouses Entscheidung, die Random House-Gruppe an den deutschen Mediengiganten Bertelsmann zu verkaufen, schockierte die US-Verlagswelt. Es hatte keinerlei Anzeichen dafür gegeben, daß Newhouse seiner Rolle als Buchverleger überdrüssig war, keinen Hinweis, daß Random House Geld verlor. Die dann veröffentlichten Zahlen überraschten allerdings selbst die Fachleute, die die Geschicke von Random House über Jahre hinweg aufmerksam verfolgt hatten – im Jahr 1997 hatte Random House rund 80 Millionen Dollar uneinbringliche Vorschüsse abgeschrieben. Mit anderen Worten: Die Politik, immer mehr Geld für immer hypertrophere Buchprojekte aufs Spiel zu setzen, hatte sich als enorm kostspieliger Schlag ins Wasser erwiesen. Sieht man einmal von den Abschreibungen für überzogene Vorschüsse ab, belief sich der Gewinn der gesamten Verlagsgruppe auf nur 0,1 Prozent, eine so niedrige Spanne, daß jedermann zunächst dachte, es handle sich um einen Kommafehler der *New York Times*. Dieser Gewinn war nämlich bei weitem niedriger als alles, was Random House jemals vor der Übernahme durch Newhouse bekanntgegeben hatte. Ganz offensichtlich waren Vitales Versprechungen spektakulärer Gewinnzuwächse unrealistisches Geschwätz gewesen. Und obwohl Newhouse allzeit großes Interesse an seinem Buchverlagsimperium bekundet hatte, wurde einer seiner Freunde im *New York Observer* mit folgendem Ausspruch zitiert: »Er hat es nicht etwa dadurch zu etlichen Milliarden Dollar gebracht, daß er seinen eigenen geistigen Interessen frönt.« Offenkundig waren die Verluste von Random House für Newhouse jetzt nicht länger hinnehmbar. Gleichermaßen aufschlußreich war die Tatsache, daß der Verkaufspreis weit niedriger lag als ursprünglich erwartet. Obwohl sich der Wert von Random House von den 60 Millionen Dollar, die Newhouse beim Kauf bezahlt hatte, in den knapp zehn Jahren der Ära Bob Bernstein auf circa 800 Millionen Dollar gesteigert hatte, war die Wachstumsrate seither deutlich schwächer. Daß Random House zuletzt für etwas über eine Milliarde Dollar verkauft wurde, legt den Schluß nahe, daß in den acht Jahren unter einer auf Plusmacherei versessenen Geschäftsleitung der Gesamtwert des Unternehmens weit langsamer gewachsen war als zuvor (üblicherweise entspricht der Verkaufspreis eines Unternehmens in etwa dem Jahresumsatz). Demnach hatte Newhouse das bemerkenswerte Resultat erreicht, erstens den intellektuellen Rang des Verlagshauses zu schmälern, zweitens dem guten Ruf der Firma erheblichen Schaden zuzufügen und drittens bei alldem auch noch eine Menge Geld in den Sand zu setzen.

Ironischerweise geschah genau das gleiche beim *New Yorker*, wo die Herausgeberin Tina Brown nach vielen Jahren ähnlichen Bemühens um die Steigerung der Verkaufszahlen der Zeitschrift 1998 endgültig das Handtuch warf. Auch beim *New Yorker* war das bekannte Muster zu beobachten. Genau wie Random House vor der Übernahme durch Newhouse hatte auch der *New Yorker* stets gewinnbringend gewirtschaftet – aber Newhouse pochte auf ungleich größeren Gewinn und strebte daher die Verdoppelung der Verkaufsauflage an. Die Abonnentenzahlen einer Zeitschrift zu steigern, ist relativ einfach: Im Grunde reicht es schon, den neuen Beziehern sehr niedrige Gebühren abzuverlangen, und genau so geschah es. Der einzige Haken an der Sache war, daß die Kosten für eine Auflagensteigerung auf knapp eine Million Stück enorm hoch waren. Unabhängige Schätzungen der Verluste, die Newhouse im ersten Jahr nach der Übernahme des *New Yorker* einfuhr, beziffern sie auf 175 Millionen Dollar, womit sie noch höher als die Verluste von Random House gewesen wären. Im selben Jahr gab Murdochs Verlagsgruppe HarperCollins bekannt, daß sie 270 Millionen Dollar an uneinbringlichen Vorschußzahlungen habe abschreiben müssen – eine frappante Summe. Bei Harper drängten die Mitarbeiter in internen Memos auf die Rückkehr zu herkömmlicheren Methoden des Verlagswesens, sprich auf den Versuch des erneuten Aufbaus einer soliden Backlist und die Beendigung des wilden Spekulierens mit potentiellen Bestsellern. Ganz offensichtlich fruchtete dieser Rat nicht, da sich Harper weiterhin ohne Rücksicht auf Verluste darum bemühte, möglichst nahtlos mit den sonstigen Unterhaltungsunternehmen Murdochs mitzuhalten.

Man sollte meinen, daß derart massive Verluste der beiden Vorreiter der Umwälzung des Verlagswesens die Chefs anderer Großkonglomerate zum Nachdenken gebracht hätte. Aber das Gegenteil trat ein: Die Bertelsmann-Gruppe gab sofort nach der Übernahme von Random House im Jahr 1998 eine Presseerklärung heraus, derzufolge sie sich bei der Neuerwerbung in den nächsten Jahren eine Gewinnmarge von 15 % erwarte. Das würde in konkreten Zahlen bei einem Jahresumsatz von rund einer Milliarde Dollar auf eine Gewinnsteigerung von aktuell rund einer Million Dollar auf zukünftig 150 Millionen Dollar hinauslaufen. Wie dieses Wunder zustande kommen sollte, wurde selbstredend nicht im einzelnen ausgeführt; klar war nur, daß eine Gewinnsteigerung in solcher Höhe unmöglich über die Entlassungen erreicht werden konnte, die die Verschmelzung der bisherigen und sowieso schon riesigen Bertelsmann-Töchter mit der Random House-Gruppe unvermeidlich begleiten würden. Immerhin kommt zukünftig jedes dritte Buch, das in den USA im Buchhandel über den Ladentisch geht, aus dem neuen Verlagshaus, das unter dem Namen Random House firmiert. Insgesamt wird der in den Vereinigten Staaten erzielte Umsatz damit vierzig Prozent der weltweiten Umsätze der Bertelsmann-Gruppe ausmachen. Trotz dieser gewaltigen Größe schlugen alle durch mehrere Initiativen von Autoren und anderen Betroffenen gestarteten Versuche fehl, den Generalstaatsanwalt zur Prüfung möglicher Verletzungen der Anti-Trust-Gesetzgebung zu bewegen – ab sofort lenkt ein neues Mammutkonglomerat die Geschicke eines ganz entscheidenden Sektors des amerikanischen Buchmarkts. Und erst kürzlich expandierte Bertelsmann ein drittes Mal in ganz großem Stil, als es zur Abrundung seines Erwerbs der amerikanischen Random House-Gruppe auch noch den Löwenanteil des Online-Buchhandelsgeschäfts kaufte, das von der Buchhandelskette Barnes & Noble betrieben wird.

Aber auch die französischen Mischkonzerne geben fortwährend neue Auslandsaufkäufe bekannt – speziell übernehmen sie spanische und englische Unternehmen. So kaufte Hachette vor kurzem die britische Orion-Gruppe, die ihrerseits solch renommierte und altetablierte Verlage wie Weidenfeld besitzt. Diese Liste ließe sich endlos fortsetzen, da klar ist, daß jeder der großen Mischkonzerne seine Töchter wahrhaft international streuen möchte. In erster Linie bedeutet dies in der Praxis den Aufkauf englischsprachiger Verlage, doch ebenso geht es um den endlosen Aufkauf kleiner Verlage in aller Welt, und zwar am liebsten von den Häusern, die über eine anerkannte Backlist verfügen, damit der ganze Bestand dann in die Gesamtgruppe übernommen werden kann.

Das Frappante an diesen Aufkäufen ist, daß sie ausnahmslos ein- und demselben Muster folgen. Der Mischkonzern geht dabei in mehreren Schritten vor. Als erstes gibt er ein flammendes Kommuniqué heraus, in dem er den Wert des übernommenen Traditionshauses über den grünen Klee lobt und die Beibehaltung der glorreichen Tradition verspricht. Als nächstes wird jedermann zugesichert, daß es keine tiefgreifenderen Veränderungen geben wird und man ohne Kündigungen auskommen will, so weit es irgend geht. Sodann läßt man verlauten, daß überschaubares Wirtschaften aus Effizienzgründen unverzichtbar sei und man daher die »untergeordneten« Funktionen des Verlags mit denen der Gesamtgruppe zusammenlegen werde. Prompt finden sich die Buchhaltung, die Auslieferung und die Lagerhaltung alsbald unter dem Dach des Giganten wieder. Als nächstes spart man die Hälfte der Vertreter ein, da es unsinnig sei, daß unterschiedliche Personen dasselbe Territorium bearbeiten. Anschließend stellt man fest, daß es leider auch im Lektorat Überlappungen gebe und gewisse Rationalisierungsmaßnahmen unumgänglich seien. Man entläßt also eine Reihe von Lektoren und Verlagsassistenten, weil man die Zahl der Neuerscheinungen ab sofort zurückfahren will. Zug um Zug wird es so schwierig, überhaupt noch unterscheiden zu können, welcher Verlag welche Bücher verlegt – beim britischen Ableger von Random House ist es beispielsweise mittlerweile üblich, daß ein und dasselbe Individuum für eine bunte Palette von Buchprogrammen zuständig ist, die einst zu renommierten Verlagen zählten, aber jetzt nichts weiter als Namen sind, die man nach Belieben auf die Titelseite einer Neuerscheinung setzt. Als abschließender Schritt wird vom Mutterkonzern eine neue Struktur vorgegeben, die als gemeinsamer Verlag für unterschiedliche Teile der kollektiven Backlists fungiert, Paperback-Nachdrucke älterer Titel besorgt und diverse neue Funktionsbeschreibungen einführt, kraft derer die Überwindung der früheren »ineffektiven« Arbeitsteilung ins Werk gesetzt werden kann.

Das Erstaunliche an all dem ist, daß die Betroffenen weitgehend die anfänglichen Beteuerungen akzeptieren. Ganz gewiß werden sie selbst keine Nachteile haben – denken sie. Eine gewisse Zahl von Kündigungen wird als unvermeidbar hingenommen, allerdings bitte schön in den Bereichen, die mit dem, was man derzeit macht, nichts zu schaffen haben. Alle für den Erfolg des Verlags Verantwortlichen, ja selbst die Geschäftsführer, klammern sich unerschütterlich an die Annahme, die ihnen gegebenen Zusicherungen seien in Stein gemeißelt, im Grunde bleibe also alles beim alten. Alles, was man aus dem Dilemma des Scheiterns früherer Verlagsübernahmen hätte lernen können, scheint man noch nicht einmal zur Kenntnis genommen zu haben.

Wie kommt es, daß das Verlagswesen sich in so kurzer Zeit so radikal verändert hat? Wie kommt es, daß man den Verlagen auch weiterhin neue »Lösungen« aufzwingt, und dies trotz aller katastrophalen Erfahrungen, die ich bereits beschrieben habe? Diese Fragen möchte ich im nächsten Kapitel eingehender betrachten.

Was wir in den letzten Jahren erlebt haben und ich in den vorangegangenen Kapiteln beschrieb, dokumentiert die Anwendung der Markttheorie auf die Verbreitung von Kultur. Angefeuert von den Umbrüchen in der Politik, die in der Ära Thatcher/Reagan um sich griffen, rechtfertigen die neuen Eigentümer der Verlage die von ihnen erzwungenen Veränderungen gern mit der beschwörenden Anrufung des Marktes. Es stehe den Eliten, so ihre Behauptung, nicht zu, ihre Werte der Leserschaft insgesamt aufzuzwingen, das Publikum solle selbst entscheiden, was es will – und wenn das dann immer vulgärer und engstirniger werde, bitte sehr. Altrenommierte Verlage, wie Knopf es einst war, scheuen sich heutzutage nicht, Bücher anzunehmen, die derart pervers und gewaltbesessen sind, daß sie von anderen Verlagsgruppen abgelehnt wurden. Die primäre Frage ist, welche Bücher das meiste Geld einbringen, keiner fragt mehr, welche Titel zum traditionellen Charakter dieses Verlags passen.

Begleitet wurde das Aufkommen der Mischkonzerne von einem Verhalten der öffentlichen Hand, die das Verlagswesen spürbar tangiert. Sowohl in den Vereinigten Staaten als auch in Großbritannien oder Deutschland wurde die staatliche Alimentierung der Bibliotheken drastisch gekürzt; als unmittelbare Konsequenz ist die gesamte Kalkulation des Verlegens anspruchsvoller Literatur- und Sachbuchtitel ernstlich in Gefahr geraten. In allen Ländern kauften die Bibliotheken früher nämlich eine genügend große Anzahl von Büchern ein, so daß die Verlage allein schon dadurch den Großteil ihrer Kosten in den Bereichen Belletristik und Sachbücher decken konnten. Eine weitere negative Beeinflussung der verlegerischen Entscheidungen rührt daher, daß in den großen Verlagen die Entscheidungen darüber, welche Titel im einzelnen veröffentlicht werden, nicht mehr von den Lektoren, sondern von einem sogenannten »publishing board« getroffen werden, in dem die Leute aus den Bereichen Controlling und Marketing den Ton angeben. Scheint ein Titel nicht eine gewisse Auflage zu versprechen (und diese Auflage wird jedes Jahr höher geschraubt, in vielen Großverlagen inzwischen auf 20000 Stück), kommt sofort das Argument, das Unternehmen könne es sich nicht »leisten«, den Titel zu veröffentlichen – besonders, wenn es sich dabei um den Roman eines unbekannten Autors oder um ein anspruchsvolles Sachbuch handelt. Was von *El Pais* hellsichtig als »Marktzensur« bezeichnet wurde, dominiert immer stärker einen verlegerischen Entscheidungsprozeß, der zunächst einmal danach fragt, ob es für einen bestimmten Titel ein bereits existentes Publikum gibt. Heutzutage hält man es so gut wie ausschließlich mit dem offensichtlichen Bestseller und den bekannten Schriftstellern, daher haben es neue, schwierige Autoren und neue, kritische Ansichten immer schwerer, in größeren Verlagen veröffentlicht zu werden.

Ganz offensichtlich tauchen neue Ideologien nicht aus dem Nichts auf. Sie sind Teil des Zeitgeists, doch ebensosehr sind sie Teil einer neuen Struktur – in unserem Fall der Struktur des multinationalen Großkonzerns. Was in Amerika und Großbritannien geschehen ist, ging verblüffend einheitlich über die Bühne: Alle Großverlage haben Stellungnahmen abgegeben, denen zufolge die amerikanische (und damit die internationale) Medienlandschaft schon in absehbarer Zeit von einem halben Dutzend Großkonzerne dominiert werden. Wobei man über eines keinen Zweifel läßt – man selbst will zu dieser Handvoll der ganz Großen gehören.

An dieser Stelle lohnt es, sich kurz den ökonomischen Stellenwert klarzumachen, der in der US-Ökonomie den Medien zukommt: Nach der Luftfahrtindustrie sind sie heute die zweitgrößte Exportindustrie. Bedenkt man die entscheidende Rolle, die das Militär von jeher beim Aufkommen und Gedeihen der amerikanischen Luftfahrt übernommen hat, läßt sich getrost sagen, daß die Medien die wichtigste rein zivile Exportindustrie der USA sind. Aus eben diesem Grund kommt der Diskussion, ob den Spielfilmen aus Hollywood die Vorherrschaft auf den europäischen Kinoleinwänden zugestanden wird, erhebliche wirtschaftliche Bedeutung zu. In diesem Zusammenhang muß man sich einmal vor Augen halten, daß ein Kassenschlager wie beispielsweise »Jurassic Park« allein schon durch die Auslandsverkäufe sämtliche Produktionskosten eingespielt hatte, noch ehe er in den USA überhaupt uraufgeführt wurde. Zur Sicherung ihrer satten Profite benötigen die großen Medienkonzerne jedoch zunehmend den Export. In abgeschwächter Form verlassen sich auch die US-Verlage bereits seit geraumer Zeit auf Europa, wo sie den Löwenanteil des Vorschusses eintreiben, den immer mehr ihrer Bestseller zur Voraussetzung haben. Selbst wenn die eigentlichen Exporterlöse heute erst relativ wenig zur Rentabilität der amerikanischen Verlage beitragen und selbst wenn das Verlagswesen nur ein kleiner Teil der Medienindustrie insgesamt ist, sollte man bei Diskussionen über die Zukunft der Medienkonzerne und ihren Stellenwert für die Weltkultur dieses umfassendere Bild vor Augen haben.

Der allgemeine Trend zum Großkonzern brachte eine dramatische Steigerung der Gewinnspannen mit sich, die Großverlage heutzutage anstreben. Wie bereits ausgeführt, lag der Durchschnittsgewinn aller US-Verlage seit den zwanziger Jahren durchgängig bei circa 4% nach Steuern, egal ob die US-Ökonomie gerade florierte oder Krisen erlebte. Diese Zahl gilt übrigens gleichermaßen sowohl für jene Verlage, die strikt kommerziell arbeiteten und ausschließlich die Titel zu bringen versuchten, die man für gewinnträchtig hielt, als auch für jene namhaften Verlage, die wir als prägende Meinungsbildner unserer zeitgenössischen Kultur in Erinnerung haben, Verlage also, die Rentabilität stets mit Verantwortungsbewußtsein zu verbinden suchten.

Ein Blick auf die aktuellen Bilanzen der wenigen Verlage, die noch immer nicht von Großkonzernen geschluckt wurden, ist hier sehr erhellend. *Le Monde* zitierte in einer 1996 veröffentlichten und faszinierenden Umschau über die europäische Verlagsszene sehr exakte Zahlen. In Frankreich zum Beispiel erzielte Gallimard, das renommierteste der Traditionshäuser des Landes, einen Jahresgewinn von knapp über 3%, obwohl der Verlag vermutlich über die solideste Backlist ganz Europas verfügt und überdies einen florierenden und einfallsreichen Kinderbuchableger besitzt. Bei Le Seuil, vermutlich dem zweitwichtigsten französischen Verlagshaus, lag der Jahresgewinn 1995 bei lediglich knapp über 1%. Derzeit befinden sich beide Häuser unverändert im Besitz der Gründerfamilien und ihrer Verbündeten, lediglich Gallimard mußte vor einiger Zeit aufgrund interner Konflikte bestimmte Teilbereiche an Mittelsmänner fremder Großkonzerne abtreten, so daß unklar bleibt, ob der Verlag auch zukünftig unabhängig bleiben kann. Unterm Strich jedenfalls entsprechen die von Gallimard und Le Seuil, aber auch von Suhrkamp oder Feltrinelli erzielten Gewinne ziemlich genau denen, die renommierte US-Verlage über Jahrzehnte hinweg erlöst haben. Doch seitdem ein Verlag nach dem anderen von Großkonzernen geschluckt wird, gehen die neuen Eigentümer davon aus – und insistieren darauf –, daß auch die neue Verlagstochter eine ähnliche Gewinnmarge erreichen müsse, wie sie bei den übrigen Konzerntöchtern wie beispielsweise Tageszeitungen, Kabelfernsehnetzen, Filmstudios usw. (mit anderen Worten ausnahmslos in Unternehmen, deren Rentabilität sprichwörtlich ist) erzielt wird. Die neuen Gewinnvorgaben bewegen sich mithin im Bereich zwischen 12% und 15%, sprich beim Drei- bis Vierfachen dessen, was Verlage traditionell erlösen. Nun könnte man zwar nicht behaupten, daß sich die Eigentümer der großen Traditionsverlage, etwa Alfred Knopf, Samuel Fischer oder andere, bettelarm aufs Altenteil zurückgezogen hätten. Aber sie waren durchaus zufrieden, wenn der Buchwert ihres Unternehmens im gemächlichen Tempo von Jahr zu Jahr wuchs – sie hatten kein Interesse, alljährlich Kapital aus ihren Verlagen abzuziehen, das man für die Pflege der Backlist benötigte. Im Gegensatz dazu pochen die neuen Verlagsherren auf jährliche und manchmal sogar vierteljährliche Gewinnzahlen, die sich strikt an die Vorgaben der Finanzplanung zu halten haben. Am fatalsten hat sich dabei ausgewirkt, daß Verlage plötzlich so rentabel arbeiten müssen wie andere börsennotierte Unternehmen auch – die neuen Gewinnvorgaben orientieren sich nämlich an den Kenndaten anderer Aktienwerte.

Damit sie diese neuen Erwartungen erfüllen können, haben die Verleger den Zuschnitt ihres Programms drastisch umgebaut. Die »kleineren Titel« – anspruchsvolle Literatur, Kunstgeschichte, Theorie – kurz alle Titel, die in der Regel mit zarten Erstauflagen starten–, sind aus den Katalogen der Großverlage mittlerweile so gut wie vollständig verschwunden, und zwar selbst in den Häusern, die sich mit ihrer Arbeit in diesen Bereichen einen Namen gemacht haben. Statt dessen setzen die Verlage ihre Hoffnungen mehr und mehr auf Megaseller, für die sie auch entsprechende Megavorschüsse auf den Tisch legen. Der stillschweigende Pakt zwischen Autor und Verlag, demzufolge der Autor dem Haus, das seine Bücher bislang verlegt hat, die Treue zu halten hat, ist längst aufgekündigt – heute wird jedes Buch an den Meistbietenden versteigert. Und da alle Großverlage dasselbe Spiel spielen, übersteigen die Vorschußsummen immer öfter jede realistische Kalkulation.

Die Verleger reden sich damit heraus, daß sie nun einmal einen Teil des normalerweise erlösbaren Gewinns zusetzen müssen, um sich die »Lokomotiven« zu sichern, die dann die lange Kette der Waggons an den Zielbahnhof ziehen sollen. Aber immer öfter werden überhaupt keine Waggons für Passagiere mehr an den Zug angekoppelt, und regelmäßig geht dann der Lokomotive der Dampf aus, wenn sie die ganze lange Strecke aus eigener Kraft hinter sich bringen soll. In diesem Fall werden gewaltige Vorschußzahlungen abgeschrieben und Riesenverluste eingefahren – aber was die Verlagschefs aus diesen Lektionen lernen, ist, daß man eben noch rabiater streichen und kürzen müsse, daß sämtliche nur »mittelmäßig« verkauften Titel auszumerzen seien und daß man den kleineren Titeln das Restquantum an Marketing- und Werbeetat kappen müsse, um es dann doch noch einmal mit einem Jeffrey Archer oder einer Danielle Steele zu probieren. Meldungen der britischen Tagespresse zufolge waren die Stellenstreichungen, die kürzlich beim Londoner Ableger von HarperCollins erfolgten, die unmittelbare Folge des gewaltigen Vorschusses in Höhe von 32 Millionen Pfund, den man an Archer gezahlt hatte und prompt in den Wind schreiben mußte.

Daß Titel gestrichen werden, ist nur die eine Hälfte des Problems; der derzeit zu beobachtende Umbruch des Verlagswesens schlägt sich aber ebensosehr in der radikal veränderten Qualität der veröffentlichten Bücher nieder. Die *New York Times* hat in einem kürzlich erschienenen Artikel darauf hingewiesen, wie geballt die großen Kinokonzerne derzeit über ihre Verlagstöchter Bücher auf den Markt werfen, um mit den hochprofitablen Nebenverwertungen (den sogenannten »tie-ins«) Kasse zu machen – eine Goldmine, die man speziell im Bereich Kinderbuch mit enormem Erfolg ausbeutet. Die Disney Corporation zum Beispiel gründete bereits 1990 eine eigene Verlagstochter – Hyperion – zur Verwertung von Disney-Nebenprodukten. Welche Absichten der Verlag verfolgt, wurde damals von Robert Gottlieb, einem der führenden amerikanischen Literaturagenten, in der *New York Times* wie folgt charakterisiert: »Hier geht es wahrhaftig nicht um Farrar, Straus. Vergessen Sie nicht, daß Sie es hier mit einer Unterhaltungsindustrie zu tun haben.«

Geradezu um Gottliebs Beschreibung Genüge zu tun, haben die Verlage der Mischkonzerne nicht nur ihre Programmschwerpunkte ausgewechselt, sondern vor allem auch ihr Personal. So berief der Medienkonzern Pearson als den Leiter seiner international tätigen Verlagstochter – zu der u. a. das hochrenommierte Verlagshaus Penguin Books gehört – Michael Lytton, der zuvor für Disney gearbeitet hatte und schon bald nach seinem Amtsantritt mehrere »Vermarktungsschienen« bekanntgab, auf denen man das berühmte Logo mit dem Pinguin zukünftig verwenden werde, um damit artverwandte »Unterhaltungsprodukte« wie Schallplatten usw. zu verkaufen. HarperCollins in New York wiederum stellte als Verlagsleiterin kurzfristig Althea Disney ein, die vorher als Chefredakteurin die Fernsehzeitschrift *TV Guide* geleitet hatte, eines der lukrativsten und populärsten von Murdochs Druckerzeugnissen.

Unnötig zu sagen, daß beileibe nicht alle Verlagstöchter die kühnen Vorgaben der Mutterkonzerne einlösen. Wie wir bereits gesehen haben, arbeiten einige der Großverlage heute weit weniger rentabel als vor fünf Jahren, als sie sich noch an die traditionelle, d. h. mehrere Schwerpunkte umfassende Struktur hielten. Trotzdem reicht es, daß ein Verlag des Konzerns Erfolg hat – prompt heißt es bei den übrigen, sie müßten sich jetzt doppelt ins Zeug legen. Erwirtschaftet ein Verlag 15 % Gewinn im Jahr, ist das von Stund an die Zielvorgabe für alle anderen Verlage, außerdem erwartet man vom unglücklichen Zugpferd jetzt 16 %.

Der Anschluß an einen Großkonzern hat also ohne Frage seinen Preis – besonders aufschlußreich ist hier das Beispiel der britisch-niederländischen Reed Elsevier-Gruppe, die neben etlichen Publikumsverlagen auch noch *Publishers Weekly* sowie diverse Verlage für Nachschlagewerke und einige andere Medientöchter besitzt. Von Mitarbeitern von Reed wissen wir zweierlei: Erstens, daß einige dieser Teilbereiche bis zu 30 % Jahresgewinn abwerfen, und zweitens, daß selbst diese hochprofitablen Bereiche Geschäftspläne vorlegen müssen, die für das nächste Jahr eine Gewinnsteigerung vorsehen, obwohl sie ohnehin doppelt so rentabel arbeiten, wie man es vom Gros der Buchbranche gewohnt ist. Zu guter Letzt fand die Reed-Gruppe zum ultimativen und für sich sprechenden Höhepunkt ihrer Geschäftspolitik: Nachdem der Großkonzern etliche der renommiertesten britischen Verlagshäuser – Methuen, Heinemann, Secker & Warburg u. a. – gekauft hatte, benannte man diese Sparte sogleich in »Consumer Products Division« um, um dann nicht allzulange später, im August 1995, bekanntzugeben, daß man sich von diesen Verlagen trennen werde. Wie es in der Pressemitteilung hieß, bringe »Consumer publishing« (wie man es eleganterweise bezeichnete) einfach nicht genug Geld ein, als daß es den Renditevorgaben der Gruppe entspreche.

Letztendlich belief sich die Rentabilität der Verlagstöchter von Reed laut Bilanzbericht auf 12 %. Das freilich ist eine zweifache Ironie: Die Gewinnmarge, der zahllose Verlage in Amerika und England vergeblich hinterherjagen, wird von den Finanzjongleuren, die noch profitablere Investitionen zu tätigen wünschen, kurzerhand als unzureichend verbucht – den Verlagen wird damit eine bilanztechnische Sisyphusarbeit aufgebürdet, wie es nur je eine gegeben hat. Nebenbei bemerkt, kommt es einen bitter an, wenn ein Unternehmen, das seine lukrativsten Geschäfte mit der Veröffentlichung von Nachrichten über Bücher und der Veranstaltung von Buchmessen macht, durch seine Arbeit dazu beiträgt, die Anzahl der Verlage zu reduzieren, von der das eigene Wohlergehen letzten Endes abhängt.

Es versteht sich von selbst, daß man nach dem Aufkauf alteingesessener Verlage ihre Vermögenswerte plündert, ihre diversen Backlists zu einer gemeinsamen Paperbackliste zusammenwirft, Dutzende Lektoren entläßt und vielen Autoren mit Nachdruck die Tür weist. Was nach dieser Verwurstung noch zum Verscherbeln übrigbleibt, gibt nicht mehr viel her – und das bestärkt die neuen Besitzer nur in ihrer Ansicht, die Verlegerei sei eben doch nicht die gute Investition, die man sich ursprünglich ausgerechnet habe. Bei diesem Kahlschlag blieben selbst ältere Titel nicht verschont. Obwohl sich alle Verlage traditionellerweise darauf verlassen, daß ihre Backlist die Neuerscheinungen mitfinan-

ziert, wurden viele ältere Titel entweder kurzerhand einge-
stampft oder zumindest nicht mehr neu aufgelegt, falls sie
nicht in (stetig angehobenen) Mindestzahlen über den Ladentisch gehen. Als Resultat dieser Politik sind heute viele
Klassiker nur noch mit viel Mühe oder überhaupt nicht
mehr erhältlich.

Die Geschäftsleitung von Reed kam jedenfalls zu dem
Entschluß, sich künftig auf Nachschlagewerke und das
neue Feld der Informationsverbreitung zu konzentrieren,
statt in herkömmliches Büchermachen zu investieren.
Überhaupt reden mehr und mehr Verleger davon, daß sie
demnächst primär die profitable Spitze der Informations-
pyramide ins Auge fassen werden, sprich mittels Compu-
ter und anderer elektronischer Medien die Informationen
verfügbar machen wollen, die früher jedermann durch
Nachschlagen in einem Buch zur Verfügung standen. Hier
ist nicht der Ort, die Vorzüge dieser neuen elektronischen
Systeme zu diskutieren, die zweifellos ganz beträchtlich
sind – es genügt, die Tatsache festzuhalten, daß mehr und
mehr Mischkonzerne dieses ganze Gebiet des »information retrieval« als immens profitabel bewerten. Zum gegen-
wärtigen Zeitpunkt haben wir zwar keine Anhaltspunkte,
wieviel Geld man zukünftig für den Zugriff auf Informationen verlangen wird, aber es ist ein klares Alarmsignal, daß
viele der Firmen, die diesen Umbruch vom Buch zum Com-
puter planen, von einem immensen Gewinnpotential reden.

Die US-Regierung bemüht sich seit einiger Zeit um die
politischen Rahmenbedingungen zur Einrichtung eines sogenannten »Information-Superhighway« – und prompt regt
sich die Sorge, daß Stadtbüchereien und andere kostenlos
zugängliche Einrichtungen in immer reduzierterem Maße
Zugang zu Informationen erhalten werden. Ich fürchte freilich, daß man in einer nicht allzu fernen Zukunft erhebliche Beträge für den Zugang zu Informationen aufwenden
muß, die man bislang als selbstverständlich betrachtet hat.
Just zu dem Zeitpunkt, in dem das Aus für die kommunistischen Staaten mitsamt ihrer strikten Begrenzung des Zu-

gangs zu Informationen gekommen ist, entwickeln irgendwelche smarten Beutelschneider bei uns im Westen ähnliche Systeme, in denen womöglich die Kreditkarte den Parteiausweis ersetzt, sobald man sich Informationen beschaffen möchte, die eigentlich für jedermann ohne Restriktionen und gratis verfügbar sein sollten.

Nicht genug damit, hat das Verlagswesen heute mit noch einem weiteren Problem zu kämpfen – dem der gestiegenen Gemeinkosten: Einer der bislang noch nicht weiter untersuchten Begleiteffekte der Großkonzernanbindung besteht nämlich darin, daß auch die Buchverleger zunehmend Lust bekommen, den Lebensstil ihrer Filmkollegen in Hollywood zu kopieren. Früher einmal galt die Verlegerei, zumindest in den englischsprachigen Ländern, als »Beruf für Gentlemen« – dieser Euphemismus überdeckte, daß im Verlagswesen nur vergleichsweise niedrige Gehälter gezahlt wurden. Über viele Jahrzehnte hinweg wurden Verleger und Verlagsangestellte in etwa wie Hochschullehrer entlohnt. Lektoren verdienten maximal das Gehalt eines Professors, Lektoratsassistenten das eines Hochschulassistenten usw.

Ich weiß noch, daß der Verlagschef von Hutchinson (auch dieser Verlag war damals noch unabhängig) seinerzeit, als ich anfing, regelmäßig nach England zu reisen, die phänomenale Summe von 10 000 Pfund im Jahr verdiente – ein stolzer Betrag, wenn man bedenkt, daß eine Sekretärin bei Hutchinson nur ein Zwanzigstel davon nach Hause trug. Mittlerweile jedoch haben die Verleger ihre Gehälter in schwindelerregende Höhen getrieben. Aus einer in *Publishers Weekly* veröffentlichten Erhebung ist zu ersehen, daß der Chef von McGraw-Hill mehr als 2 Millionen Dollar im Jahr kassiert, mehr als die Bosse von Exxon oder Philipp Morris. Und als Viacoms Verlagsableger seinerzeit bereits als unrentabel zum Verkauf stand, kassierte der Geschäftsführer immer noch 3,25 Millionen Dollar im Jahr. Bei solchen Summen ist die Frage erlaubt, bis zu welchem Grad die mangelnde Rentabilität der Verlagstöchter den unrealistischen Gehältern der Viacom-Bosse zu verdanken war, die unvermeidlich zu Lasten der Bücher und ihrer Verfasser gingen.

Aber es bleibt nicht bei den überzogenen Gehältern. Heute werden auch die Büros der Verleger immer aufwendiger, so daß sie mittlerweile eher den Konferenzsälen von Banken als den Büros früherer Verlagsleiter gleichen. Als ich bei Random House ausschied, schlugen die Vertreterkonferenzen – die oft in luxuriösen Ferienanlagen, etwa auf den Bahamas, abgehalten wurden – jeweils mit einer Million Dollar zu Buche: und das zweimal im Jahr. Unsere derzeitige Auslieferung, W. W. Norton, gibt allenfalls einen Bruchteil dieser Summe aus, weil die Vertreter in einem bescheidenen Hotel in New York City tagen. Gerade weil sie auf das Gros der von ihnen gemachten Bücher nicht länger stolz sein können, trösten sich Verleger und Lektoren heutzutage eben mit den Bequemlichkeiten, wie sie in Großkonzernen üblich sind – teure Restaurants, am Straßenrand wartende Großraumlimousinen und sonstige Statussymbole.

So kommen zu den Zwängen der Marktzensur noch derlei verlagsinterne Verstiegenheiten hinzu, die absolut nichts mit den objektiven Erfordernissen des Buchverkaufs zu tun haben. Doch auch sie sind ein Teil der Transformation der Ideologie des Büchermachens. Wenn man auf die Bücher, die man veröffentlicht, nicht mehr stolz ist und sich die eigene Berufswahl nicht mehr mit den Büchern rechtfertigen läßt, die man veröffentlicht hat, dann greift man zur Füllung der moralischen Lücke eben zu kruderen Gratifikationen wie Geld oder Status.

Seit viele Verlage von Mischkonzernen aufgekauft worden sind, haben sich die politischen Inhalte der in den USA verlegten Bücher radikal verändert. Harper, Random House und Simon & Schuster waren einst Bollwerke des am New Deal orientierten Liberalismus, die Verleger dieser Häuser waren fast alle liberal eingestellt – trotzdem sind die Neuerscheinungen der amerikanischen Verlage derzeit spürbar rechtslastig. Die am Programm beteiligten Lektoren sind aber im Grunde noch immer dieselben wie früher: Es ist deutlich, daß sie sich neuem Erwartungsdruck fügen müssen. Mehr als je zuvor lassen die Großverlage die Finger von Büchern, deren Position links der Mitte angesiedelt ist; diese Titel werden heute vor allem von den unabhängigen, alternativen Verlagen und anderen veröffentlicht.

Ich will damit keineswegs behaupten, das Verlagswesen wäre zuvor von politischem Druck und politischer Rücksichtnahme frei gewesen. Viele Verlage zeigten von Anfang an ein klar politisch definiertes Profil; in Westeuropa waren über Jahre hinweg zahlreiche Verlage im Besitz politischer Parteien oder einzelner Gewerkschaften, und wie nicht anders zu erwarten, spiegelte ihr Programm die Ansichten der Eigentümer.

Obwohl es Zensur im Verlagswesen also seit jeher gegeben hat, ist die Relativierung wohl zulässig, daß diese Eingriffe primär aufgrund der Meinungen der Individuen erfolgten, die die Verlage besaßen oder kontrollierten, und daß solche Zensur beileibe nicht aus anderen, nämlich rein kommerziellen Überlegungen geschah. Das hat sich grundlegend geändert. Auch wenn der als Verleger mittlerweile ohnehin recht selten gewordene Privatmann wie eh und je seinen partikularen Standpunkt durchzusetzen versucht, fallen heutzutage die Interessen der Großkonzerne als Gesamtphänomen weitaus schwerer ins Gewicht.

Als ich wieder einmal an einer Besprechung des »Freedom to Read Committee« des amerikanischen Verlegerverbands American Association of Publishers (AAP) teilnahm, dem offiziellen Antizensur-Ausschuß des US-Verlagswesens, tagten wir hoch über dem Central Park im außergewöhnlich luxuriösen Konferenzsaal einer der bekanntesten Anwaltsfirmen New Yorks, von der die AAP bei Verfahren in Fragen der Zensur vertreten wird; daher saßen wir um einen riesigen Besprechungstisch auf Sesseln, die weit mehr gekostet haben müssen als das Jahresgehalt, das die meisten von uns ihren Lektoren bezahlen. Was solcher Luxus zu bedeuten hatte, blieb keinem der Anwesenden verborgen.

Doch diesmal waren die Rechtsanwälte um unser Wohlergehen besorgt – ihnen machte es nämlich einiges Kopfzerbrechen, daß die öffentliche Wahrnehmung der Verlage im Laufe der letzten Jahre eine grundlegende Veränderung erfahren hatte. Die Anwälte empfanden es als beunruhigend, daß der einstmals allgemein geachtete Berufsstand der Verleger von riesigen und sehr reichen Konzernen dezimiert worden war; denn das hieß, wie nicht weiter überraschen wird, daß sich vor Gericht bei Prozessen wegen übler Nachrede, Rufmords oder ähnlicher Belange die Geschworenen nicht mehr so wohlwollend verhielten wie ehedem, woraufhin die Urteile neuerlich immer öfter zuungunsten der Verlage ausfielen. Wie die Juristen erläuterten, ließe sich die Einschätzung der Geschworenen jedoch immer dann nachhaltig verändern, wenn die Anwälte ihnen gegenüber argumentieren könnten, daß ja gerade wir Verleger die festeste Bastion des First Amendment seien, sprich des Verfassungszusatzes, der jedermann das Recht auf freie Meinungsäußerung garantiert, eben weil unsere Verlage jederzeit und freudig Bücher veröffentlichten, in denen wichtige Gedanken vorgebracht würden. Der Sprecher der Anwaltskanzlei musterte also die rund vierzig von uns, die wir die wichtigsten New Yorker Verlage vertraten, und fragte: »Können wir den Geschworenen auch künftig versichern, daß Sie ein wichtiges Buch verlegen, sobald es Ihnen auf den Schreibtisch kommt?« Doch nicht ein einziger von uns hob auf die Frage zustimmend die Hand, und keiner aus der Runde schien es für ironisch zu halten, daß ausgerechnet der eigens eingerichtete Antizensur-Ausschuß des Verlagswesens zu einem festen Teil der neuen Marktzensur geworden war. Diese negative Reaktion der Runde überraschte die Anwälte ganz offensichtlich, und daher stellten sie noch weitere Fragen, samt der Vermutung, daß wir doch gewiß ab und an ein Buch pro bono, sprich frei von geschäftlichen Erwägungen, herausbringen würden, wie es die Anwaltskanzleien gelegentlich gleichfalls hielten, indem sie mittellose Mandanten vertreten. »Nein, so etwas geschieht allenfalls unabsichtlich«, gab daraufhin der Sprecher des Verlegerausschusses zur Antwort, woraufhin alle Anwesenden in befreites Lachen ausbrachen, was dann auch prompt das Ende dieser peinlichen Runde einläutete.

Ein Blick zurück in die Geschichte des ehedem renommierten amerikanischen Verlagshauses Harper's mag diese Wandlung vom persönlichen Eingriff zur Zensur des Marktes illustrieren. Harper's, der die Bücher Trotzkis verlegt hatte, erhielt kurz vor Beginn des Zweiten Weltkriegs die blutbespritzten Fahnen von Trotzkis jüngster publizistischer Attacke auf Stalin. Die Fahnen hatten auf Trotzkis Schreibtisch gelegen, als Ramon Mercader dem arglosen Revolutionär seinen berühmten Eispickel in den Schädel stieß. So schockiert sie auch waren, die Anhänger des Ermordeten schickten die Fahnen dennoch postwendend zurück nach New York, weil sie davon ausgingen, das Buch würde jetzt auf jeden Fall unverzüglich gedruckt. Aber Cass Canfield, der damalige Cheflektor von Harper's, hatte begriffen, daß die USA Deutschland schon bald den Krieg erklären und deshalb über kurz oder lang die volle Unterstützung Stalins benötigen würden. Daher rief Canfield, obwohl die Regierung keinerlei Druck auf ihn ausübte, einen Bekannten an, der im Außenministerium arbeitete, um mit ihm das heikle Thema Trotzki zu diskutieren. Beide stimmten überein, daß es weiser sei, das Buch vorerst nicht auszuliefern; man beschloß, lieber einen späteren und günstigeren Zeitpunkt abzuwarten. Folgerichtig lagerte Trotzkis jüngstes Buch, das mittlerweile bereits gedruckt und gebunden worden war, bis zum Kriegsende als Staubfänger in der Auslieferung von Harper's. Ob Trotzkis harsche Kritik an Stalin die öffentliche Meinung in den Vereinigten Staaten beeinflußt und in diesen kritischen Jahren zu einer skeptischeren Einschätzung der Politik der Sowjetunion geführt hätte, werden wir nie erfahren. Aber die verlegerische Entscheidung als solche und ihre Art der Umsetzung symbolisiert idealtypisch die »verantwortungsbewußte« und elitäre Haltung, die man seinerzeit in der anglo-amerikanischen Verlagswelt pflegte. Canfield faßte den Entschluß, den er als Staatsbürger für richtig hielt, und dann setzte er ihn ohne weitere Rücksprachen um, auch wenn dem Verlag dadurch erhebliche Kosten entstanden. Das mag man »idealistische« oder auch patriotische Zensur nennen, jedenfalls war – so viel steht fest – keinesfalls Profitstreben der Grund für Canfields Vorgehen.

Wie sich diese Haltung mittlerweile geändert hat, mag eine Episode erhellen, die sich in der New Yorker Verlagsszene abgespielt hat: Basic Books, der altrenommierte Verlag für Sozialwissenschaften und Psychoanalyse, der einst zu HarperCollins gehörte, hatte nämlich eine Biographie von Deng Xiaoping veröffentlicht, die niemand anders als Dengs Tochter verfaßt hatte. Das Buch selbst war noch nicht einmal als Dokument chinesischer Hagiographie interessant. Hölzern geschrieben, grundapologetisch und bar jedweder soliden Information, war es genau die Sorte Buch, die man unter normalen Umständen in keinem westlichen Verlag eines zweiten Blicks gewürdigt hätte. Doch das Buch wurde nicht nur bei Basic Books verlegt, sondern sogar mit großem Werbeaufwand; man ließ die Autorin aus China einfliegen, veranstaltete Pressekonferenzen, organisierte Lesungen usw. Zuletzt erschien ein Zeitungsartikel über diese PR-Kampagne, dessen Autor die Frage aufwarf, wieso man eigentlich soviel Wirbel um ein derart läppisches Buch mache – die Antwort lag freilich auf der Hand: Murdoch war scharf auf die Genehmigung der chinesischen Regierung, die er brauchte, damit sein Kabelprogramm Sky Cable endlich auch in China auf Sendung gehen konnte. Er hatte bereits eingewilligt, Zensureingriffe im Sendeangebot vorzunehmen, wodurch die BBC News entfallen würden, die man früher über Murdochs Kabelfernsehen in China empfangen konnte, doch offenbar reichte dieses Zugeständnis noch nicht aus, um ihm den Vertrag zu sichern. Es brauchte also zusätzliche Überzeugungsarbeit... Hätte Murdoch im Deutschland der dreißiger Jahre wegen Senderechten verhandeln müssen, kann man sich leicht ausmalen, daß er die englische Ausgabe von Hitlers *Mein Kampf* mit großem Aufwand in den USA auf den Markt geworfen und in einem Dutzend Großstädten Lesungen organisiert hätte...

Seinen Verlag als Mittel zur Durchsetzung weitreichender Ziele einzusetzen, war für Murdoch nichts weiter als »business as usual«. Letztlich entsprach das exakt seinem Vorgehen in Großbritannien und in den USA, wo er seine Tageszeitungen eingesetzt hatte, um den dortigen Regierungen politische Zugeständnisse abzupressen: Murdoch hatte Margaret Thatcher die Unterstützung der von ihm kontrollierten Tagespresse versprochen, sofern sie im Gegenzug auf die Anwendung der britischen Antikartellgesetze verzichte. Analog hatte Murdoch, als er gerade auf Lizenzen für eine Fluggesellschaft angewiesen war, die er (aus Gott weiß welchen Gründen) aus der Taufe heben wollte, dem damaligen US-Präsidenten Carter die Unterstützung der traditionell auf seiten der Demokraten stehenden *New York Post* versprochen, mit anderen Worten die Wahlhilfe einer Zeitung avisiert, die Carter normalerweise auch ohne Zahlung von Bestechungsgeld unterstützt hätte, die es aber seit der Übernahme durch Murdoch mit der extremen Rechten hielt. Die Presse wurde daher auch aufmerksam, als sie von dem Verhandlungsangebot Wind bekam, das Murdochs amerikanischer Verlagsableger HarperCollins Newt Gingrich, seinerzeit Sprecher der Republikaner im House of Representatives, unterbreitet hatte: immerhin 4,5 Millionen Dollar Vorschußhonorar für dessen erstes Buch.

Weniger Beachtung fand hingegen die Tatsache, daß die Verkaufszahlen von Gingrichs Buch dann deutlich machten, daß der Verlag bestenfalls ein Drittel des Vorschusses erlösen konnte. Selbst bei Einrechnung der Taschenbuchausgabe und eines irgendwann in der Zukunft vorgelegten zweiten Buchs ist mehr als offensichtlich, daß die Summe, die Murdoch dem prominenten Politiker zugeschanzt hat, jeder vernünftigen Hochrechnung von Verkaufszahlen Hohn spricht. Sobald man das weiß, kommt es einem desto vielsagender vor, daß der australische Medientycoon erpicht darauf war, sich noch *vor* der Unterzeichnung des Vertrags über die Herausgabe des Gingrich-Buchs mit Gingrich zu treffen, um sich mit ihm über die Zukunft der immens profitträchtigen TV-Franchise-Töchter in Amerika zu beraten.

De facto ist der Einfluß der Tagespresse auf die Politik heute so massiv, daß die Murdoch-Blätter seinerzeit nach dem letzten Wahlsieg der Konservativen in England in einer treffenden Schlagzeile heraustrompeteten: »It's Us Wot Done It!«

Aber auch Blairs Wahlsieg fußte ebenfalls zu einem ganz erheblichen Teil auf der von Murdoch gewährten Unterstützung, und heute zeigt sich, daß Blair im Gegenzug nicht nur in England, sondern auch im Ausland Murdochs Interessen zu fördern versprach – wie anders wäre der peinliche Auftritt Blairs zu interpretieren, der bei der italienischen Regierung als Lobbyist vorsprach, als Murdoch seine Geschäfte auf Italien ausweiten wollte?

Das Büchermachen als solches ist sowieso nicht mehr von großem Interesse für die großen Mischkonzerne, weil selbst die erfolgreichsten Verlage einen allenfalls mickrigen Beitrag zum jährlichen Gesamtgewinn beisteuern. Trotzdem spielen Bücher, wie wir alle wissen, nach wie vor bei der öffentlichen Meinungsbildung eine Rolle; sie prägen den Grundton des kulturellen Lebens – und auch wenn die neuen Eigentümer einen Großteil all dessen verachten mögen, was das Verlagswesen zu bieten hat, ist ihnen dieser Aspekt sehr wohl bewußt.

Über Jahre hinweg hatten die US-Verlage insbesondere in Wahljahren traditionell neue Sachbücher zu politischen Themen veröffentlicht. Aber sowohl 1992 wie 1996 wie 2000 erschien während der Präsidentschaftswahlen so gut wie kein Sachbuch, das dem allgemeinen Lesepublikum die großen Themen nahegebracht hätte, die für die Wähler in den USA von Interesse waren. Die zentralen Themen der öffentlichen Debatte – die Europäische Union, das staatliche Gesundheitssystem, die Zukunft des Sozialstaats – wurden allenfalls in Büchern aufgegriffen, die einen dezidiert rechten Standpunkt vertraten, meist von rechten Stiftungen teilfinanziert und dann von den großen Mischkonzernen herausgebracht. Für mich steht außer Frage, daß einige der kontroverseren Themen – zum Beispiel die mit Kanada und Mexiko ausgehandelte Freihandelszone oder die Reform des staatlichen Gesundheitswesen der USA – deutlich anders diskutiert worden wären, hätten damals entsprechende Bücher die Diskussion gefördert.

Nun werden die Großverlage natürlich einwenden, daß solche Entscheidungen einzig und allein vom Markt getroffen werden. Trotzdem will nicht recht einleuchten, daß es urplötzlich keine Leser mehr geben soll, die sich dem aktuellen Rechtsruck widersetzen, oder daß alternative Sichtweisen unversehens kein Publikum mehr finden.

Könnten in dieser Situation die Universitätsverlage eine Alternative bieten? 1999 stellte Keith Thomas in einem Artikel im *Times Literary Supplement* die Frage, welchen Kurs die Universitätsverlage im heutigen Buchmarkt am besten einschlagen sollten – seine Thesen lösten in England eine heftige Debatte aus, die nicht zuletzt in zahlreichen Leserbriefen ihren Niederschlag fand und auch in einer Aussprache im House of Lords kontrovers diskutiert wurde. Thomas, ein bekannter Historiker, leitet das Finanzaufsichtsgremium der Oxford University Press und war einer derjenigen, die den Entschluß des Verlags zu verantworten haben, daß von Oxford University Press zukünftig keine zeitgenössische Lyrik mehr verlegt wird. Der Beitrag von Thomas war meiner Meinung nach in mancher Hinsicht unehrlich; außerdem blieben einige seiner Kernaussagen bislang von der Kritik verschont. So wurde die Oxford University Press in dem Beitrag als mittelständischer Verlag charakterisiert, obwohl Oxford bei einem jährlichen Gesamtumsatz von knapp einer halben Milliarde Dollar als der Gigant unter den Universitätsverlagen gesehen werden muß (ihr Umsatz ist größer als der sämtlicher US-Universitätsverlage zusammengenommen). Außerdem finden sich im Titelkatalog der Oxford University Press jede Menge hochgradig kommerzieller Bücher, und es sind diese Titel für das breite Publikum, die in ganz erheblichem Maße zum Gewinn des Verlags beitragen. Des weiteren gab Professor Thomas zu Protokoll, die Universität Oxford habe Anspruch auf einen »vernünftigen Gewinn« ihrer Verlagstochter – doch die warf im Zeitraum der letzten fünf Jahre immerhin durchschnittlich 16 Millionen Dollar pro Jahr für die Hochschule ab; weiß man das, sieht der Entschluß des Verlags zum Verzicht auf die Veröffentlichung von Gedichtbänden nach Banausentum aus. Überdies fielen dem Sparprogramm bei der Oxford University Press auch gleich noch die intellektuell wichtige Taschenbuchreihe »Opus«, die Reihe »Modern Masters« sowie die Clarendon Press als Imprint mit eigener Relevanz zum Opfer. All diese Entscheidungen verärgerten viele Leute, und so konnte man im *Times Literary Supplement* etliche Leserbriefe nachlesen, in denen es hieß, die Barbaren stünden nicht länger vor dem Tor, sie säßen längst in der Geschäftsführung des Verlags.

Zur Verteidigung der genannten Sparmaßnahmen führte Thomas die altvertrauten Argumente ins Feld: die Konzentration sowohl bei den Verlagen als auch bei den Buchläden, der aus letzterem resultierende Rentabilitätsdruck für die Verlage, die den großen Buchhandelsketten immer massivere Rabatte einräumen müssen, insgesamt die Schwierigkeit, in einem zunehmend monopolisierten Buchmarkt wettbewerbsfähig zu bleiben. Diese Punkte tangieren freilich einen Verlag von der Größe der Oxford University Press, die kleineren Universitätsverlage in den USA dagegen eher weniger. Dem wunden Punkt freilich, den Thomas ansprach, als er sagte, die Oxford University Press müsse gewinnbringend arbeiten, um ihrem Eigentümer Einkünfte zu sichern, diesem Dilemma müssen inzwischen auch viele amerikanische Universitätsverlage ins Auge sehen.

Ohne Frage leiden die amerikanischen Universitätsverlage, genau wie Oxford, unter der Tatsache, daß das Verlegen von Monographien – traditionellerweise der Schwerpunkt des Programms dieser Häuser – immer höhere Kosten verursacht. In einem nachdenklichen Artikel in der *New York Review of Books* sprach sich Robert Darnton daher überzeugend für die Online-Veröffentlichung von Monographien aus, indem er auf die schwindenden Auflagenhöhen (die jetzt bei gerade einmal 200 Exemplaren liegen) und die Finanzkrise der Bibliotheken verwies, die ihr Budget mehr und mehr mit dem Ankauf von Fachzeitschriften bereits erschöpfen – dank der so gut wie monopolistischen Kontrolle über diesen Bereich schlägt der Bezug einer einzigen Fachzeitschrift heutzutage bis hin zu stolzen 16000 Dollar pro Jahrgang zu Buche.

So bekommen die Universitätsverlage Druck von zwei Seiten: ihr Haupt»produkt«, die Monographie, wird immer kostspieliger, und gleichzeitig fahren die Universitäten ihre Zuschüsse zurück. Folgt man den Ausführungen von Keith Thomas, werden so gut wie alle amerikanischen Universitätsverlage von ihren Eigentümern subventioniert – Tatsache dagegen ist, daß man von ihnen immer mehr verlangt, daß sie zumindest kostendeckend wirtschaften oder aber einen Gewinn erzielen. So forderte die Ohio State University kürzlich die Überweisung von sieben Prozent des Umsatzes des Universitätsverlags; später gelang es der Verlagsleitung, in Verhandlungen einen niedrigeren Satz zu erreichen. Bei der University of New Mexico Press war man überrascht, als der Verlag nach einem besonders erfolgreichen Geschäftsjahr urplötzlich zehn Prozent des Gewinns an die Hochschule als den Träger des Verlags abführen sollte. Die University of Chicago hält sich ohnehin strikt an das Credo ihrer Ökonomen und betrachtet die ganze Hochschule mittlerweile als Profit Centre – folgerichtig erwartet man von jeder Untergliederung, und damit auch vom universitätseigenen Verlag, eine alljährliche Rentabilitätssteigerung. Wie uns berichtet wird, eilen zum Ende jedes Quartals junge Controller übers Unigelände und fragen bei jedem Dekan und Fachbereichsleiter nach, ob er auch wirklich die Fortschritte erzielt hat, die ihm in der Jahresfinanzplanung zugewiesen wurden – ein Ritual, das jeder kennt, der einmal im Nordamerika der Großkonzerne gearbeitet hat. Aus einer kürzlich erfolgten Untersuchung über die wirtschaftliche Lage von neunundvierzig Universitätsverlagen ergibt sich, daß die jährlichen Zuschüsse durch die jeweilige Hochschule im Laufe der letzten vier Jahre nach realer Kaufkraft gerechnet um insgesamt acht Prozent gekürzt wurden, zwölf Universitätsverlage sogar Kürzungen von mehr als zehn Prozent hinnehmen mußten. Benützt man die elegante Formulierung von Peter Givler, dem Sprecher der American Association of University Presses, dem Dachverband der Universitätsverlage, läßt sich sagen, daß viele Hochschulen mittlerweile »negative Zuschüsse« leisten.

Als ich mit verschiedenen Leitern von Universitätsverlagen sprach, war ich überrascht, wie sehr sie zögerten, auf die mit ihnen vereinbarten Regelungen zu pochen. Auch waren sie alle gerne bereit, sich mit mir darüber zu unterhalten, wie es anderen Universitätsverlagen erging, dagegen sehr zurückhaltend, wenn ich sie namentlich zitieren wollte. Selbst an den Hochschulen spürte ich also das frostige Klima eines Großunternehmens und nicht etwa den Geist des vorurteilsfreien Fragens und Hinterfragens, das eigentlich das Geschehen an einer Universität prägen sollte.

Wie unverzichtbar solche Bücher sind, wird um so deutlicher, wenn man den Aufstieg der großen Buchhandelsketten wie etwa Barnes & Noble, B. Dalton und anderer bedenkt, die weitgehend die profitzentrierte Ideologie der Medienmischkonzerne teilen. In den letzten Jahren haben die Buchhandelsketten in den USA drastisch an Marktanteilen dazugewonnen; mittlerweile verkaufen sie mehr als die Hälfte aller im Einzelhandel umgesetzten Bücher. Auf die selbständigen Buchhändler entfallen heute nur noch 17% der Buchverkäufe, und dieser Anteil ist von Jahr zu Jahr geringer geworden – 1997 waren es noch 51,6%, 1996 bereits nurmehr 45,5%. Vergleicht man diese Zahlen mit der Situation in Frankreich, so verkaufen die Buchhandelsketten dort zwar nicht ganz so viele Bücher, trotzdem setzen auch hier die größten 300 Buchläden des Landes zwischen 70 bis 80% des Gesamtumsatzes des Sortimentbuchhandels um. Und auch in Frankreich haben die selbständigen Buchhändler mittlerweile spürbar an Marktanteil eingebüßt: 1988 hielten sie noch einen Anteil von 46%, 1996 war er bereits auf 37% gesunken. Die großen Ketten wie FNAC, Virgin und andere waren die klaren Gewinner – allein auf die Kette FNAC, die fünfzig große und bestens sortierte Buchläden kontrolliert, entfällt rund ein Viertel des gesamten Buchumsatzes in Frankreich.

Daß die Ketten, sobald sie einen so großen Teil des Verkaufskontingents einer Neuerscheinung kontrollieren, dem betreffenden Verlag immer günstigere Konditionen abpressen können, haben wir in den USA bereits erlebt; diese Sonderkonditionen räumen ihnen einen äußerst unfairen Vorteil gegenüber den kleinen Buchläden ein. Das gezeichnete Bild fällt freilich von Land zu Land anders aus. In vielen europäischen Staaten sind die Buchläden trotz massiver Konzentration des Verlagswesens entweder großteils selbständige Einheiten geblieben oder aber Ketten gewichen, die sich in ihrer Geschäftsphilosophie nicht allzusehr von der des herkömmlichen Buchhandels unterscheiden. In den USA ist dies deutlich anders, dort konzentrieren die großen Buchhandelsketten all ihre Energie und umfangreichen Mittel auf die gerade aktuellen Bestseller, was zwangsläufig zu Lasten aller anderen Titel geht, die weitgehend vernachlässigt werden. An der Spitze der US-Buchhandelsketten sitzen überwiegend Leute, die aus dem Einzelhandel mit völlig anderen Waren stammen und kein spezielles Interesse an Büchern haben; folgerichtig wird dort primär auf den Profit geachtet, den jeder Kubikmeter Ladenlokal abwirft. Ich habe bereits bittere Beschwerden von Mitarbeitern der Ladenketten gehört, die durchaus mit der gewinnorientierten Ideologie übereinstimmen, aber klagen, man lasse ihnen überhaupt nicht mehr genug Zeit, um die potentiellen Bestseller loszuschlagen, die bereits im Sortiment stehen. Denn wenn ein Buch nicht auf Anhieb die vorgeschriebene Rentabilität erreiche, wandere es innerhalb weniger Tage ins hinterste Eck des Ladens, sofern es nicht direkt remittiert werde.

In ihrem, nebenbei gesagt, phänomenal erfolgreichen Bestreben, immer größere Stückzahlen abzusetzen, haben die Buchhandelsketten massiv die Umwälzungen beschleunigt, die im Verlagswesen allerorten zu beobachten sind. Denn erstens präsentieren die Ketten primär die auflagestarken Titel, und zweitens zwingen sie die Verlage, erhebliche Summen zu einem sogenannten »flankierenden« Werbeetat (in der Branche nennt man das »co-op advertising«) beizusteuern, der überhaupt erst sicherstellt, daß die Bücher in den Läden vorrätig gehalten werden. Mit anderen Worten: Ketten wie Barnes & Noble und Konsorten verlangen die Zahlung von einem zusätzlichen Dollar pro Buch, sofern die Verlage ihre Produkte in den attraktiven Verkaufsflächen im Eingangsbereich des Ladens gestapelt oder sonstwie auffällig präsentiert sehen wollen – alles Dienste, die herkömmliche Buchhändler völlig selbstverständlich kostenlos übernahmen. (Ein Zusammenschluß unabhängiger Buchhändler hat erst kürzlich wegen dieser Finanzhilfe an die großen Buchhandelsketten einen Prozeß gegen die Großverlage angestrengt.) Um einen Eindruck davon zu bekommen, von welchem Kaliber die großen Ladenketten mittlerweile sind, reicht ein Blick auf die Gehälter der Geschäftsführer von Barnes & Noble. Len Riggio, der an der Spitze des Unternehmens steht, billigt sich eine Million Dollar Jahresgehalt zu, freilich nur eine Kleinigkeit im Vergleich zu den 100 Millionen Dollar, die er beim Börsengang von Barnes & Noble kassierte. Man erwäge die Relation dieser Summen zu dem mehr als bescheidenen Salär, das sich die selbständigen Buchhändler zahlen können.

Daß die Kleinverlage, die mit ihren weniger publikumswirksamen Titeln ohnehin ein erhebliches Risiko eingehen, in ernste Schwierigkeiten kämen, wenn sie jetzt auch noch einen zusätzlichen Werbedollar pro Buch hinblättern müßten, liegt auf der Hand. Entsprechend sinken aber die Aussichten, daß der betreffende Titel in nennenswerter Menge vom Buchhandel bestellt wird, und so wird der Kleinverlag doppelt benachteiligt. Außerdem werden die selbständig gebliebenen Buchläden ohnehin ständig von den Ketten bedroht, die ganz bewußt und aggressiv dazu übergegangen sind, neue Filialen in unmittelbarer Nähe der erfolgreichsten unabhängigen Buchhändler aufzumachen, manchmal direkt gegenüber auf der anderen Straßenseite. Das Resultat ist, daß immer mehr unabhängige Buchläden pleite gehen; mittlerweile findet man in der Stadtmitte von New York nur noch eine gute Handvoll. Daß es immer weniger Buchläden gibt, verstärkt wiederum die Schwierigkeiten, mit denen die Verlage ohnehin schon zu kämpfen haben. Der kleine Buchladen, der früher ganz bewußt jenen neuen Roman oder neuen Lyrikband ins Schaufenster stellte, der den Buchhändlern besonders gut gefiel, ist den großen Ladenketten gewichen, die sich der neuesten Techniken zur Erzielung von Massenabsatz bedienen. Manche der Buchhandelsketten gehen heute bereits so weit, daß sie den Verlagen bei Lesereisen eines Autors exklusive Auftritte in den Filialen ihrer Kette vorschreiben und Signierstunden oder Lesungen in kleineren Buchläden strikt untersagen. Man muß zu ihrer Ehrenrettung allerdings sagen, daß sich manche Autoren weigern, diese Erpressung mitzumachen. Aber so wichtig solche Gesten auch sein mögen: Es wäre ein schwerer Irrtum, die monopolistische Tendenz zu unterschätzen, die sich in den immer größeren Buchläden manifestiert.

Als meine Kollegen und ich uns 1990 von Pantheon verabschiedeten, war klar, daß wir eine andere Lösung für die Probleme finden mußten, mit denen wir uns jahrelang herumgeschlagen hatten. Die meisten meiner Kollegen brauchten aber so schnell wie möglich einen neuen Job und konnten sich daher nicht den Luxus leisten, den Aufbau einer neuen Struktur abzuwarten. Daher zerstreute sich zu meinem großen Bedauern die Gruppe, die so gut zusammengearbeitet hatte, in alle Winde.

Mir selbst standen mehrere Möglichkeiten offen. Man hatte mir angeboten, bei einem der großen Mischkonzerne einen neuen Imprint-Verlag zu starten, doch das hätte meiner Ansicht nach nur die gleichen Risiken und Ungewißheiten heraufbeschworen, denen wir gerade erst den Rücken gekehrt hatten. Umgekehrt warfen Anfragen risikobereiter Kapitalgeber, die uns gerne einen neuen Verlag finanziert hätten, völlig andersgeartete Fragen auf. Heutzutage muß »venture capital« binnen drei Jahren Gewinn erwirtschaften, und daher hätten wir unsererseits das Risiko eingehen müssen, einen neuen Verlag aus der Taufe zu heben, der unter Umständen binnen relativ kurzer Zeit erneut die leidigen alten Fragen hätte beantworten müssen. Meiner Ansicht nach brauchte es eine völlig andere Struktur. Die Frage war, ob sich vielleicht ein Weg finden ließe, einen Verlag ohne Eigentümer aufzubauen, einen gemeinnützigen Verlag, in mancher Hinsicht den Universitätsverlagen ähnlich, ohne jedoch an eine Universität angebunden zu sein. Könnte man nicht einen Verlag gründen, der sich an das allgemeine Lesepublikum wandte und nicht nur an eine akademisch orientierte Elite, der aber trotzdem intellektuelle und kulturelle Standards achtete? Im amerikanischen Kulturleben gab es durchaus eine Parallele zu solch einem Vorhaben, allerdings nur beim Rundfunk und Fernsehen. In den Sechzigern hatten sich, als das Sendewesen unrettbar kommerziell geworden war, sowohl im Hörfunk wie im Fernsehen neue Medien konstituiert: PBS – das Public Broadcasting System – als öffentliches Fernsehen, und NPR – das National Public Radio – als öffentliches Radionetz. Im Funk hatte sich bereits vor Jahrzehnten ein ganz ähnlicher Prozeß abgespielt wie der, den wir zur Zeit im Verlagswesen erleben. Sender, die für ihre Dokumentarberichte und ihre Nachrichten, ja sogar für ihre Symphonieorchester berühmt gewesen waren, hatten diese kulturellen Dienstleistungen Schritt um Schritt gestrichen und durch zunehmend kommerziell ausgerichtete Inhalte ersetzt. In den sechziger Jahren, einer im Vergleich zu heute eindeutig fortschrittlicheren Epoche, hatte es für die Gründung beider Netzwerke, die bis auf den heutigen Tag bestehen, noch bundesstaatliche Gelder gegeben – und nach wie vor bieten PBS und NPR eine Alternative zum kommerziellen Sendewesen, auch wenn beide Einrichtungen zunehmend auf private Sponsoren sowie auf Unterstützung durch gemeinnützige Stiftungen angewiesen und daher in ihren Vorhaben mehr und mehr eingeschränkt sind.

Glücklicherweise braucht es zur Gründung eines Verlags wesentlich weniger Geld als für einen Sender. Außerdem hatten sich unsere Autoren so gut wie ausnahmslos entschlossen, gemeinsam mit uns dieses Abenteuer einzugehen, wobei viele von ihnen auf stattliche Summen verzichteten, die sie bei einem anderen Verlag kassiert hätten. Insgesamt erforderte unsere Verlagsgründung nicht einmal eine Million Dollar, was noch nicht einmal einem Prozent von dem entspricht, was der öffentliche Fernsehsender der Stadt New York City pro Jahr an Spenden und Zuwendungen zu sammeln in der Lage ist. Wir waren daher einigermaßen zuversichtlich, dieses Geld im Laufe der Zeit bei den privaten Stiftungen des Landes einwerben zu können.

Anfangs zögerten die Stiftungen lange, weil sie sich in den USA traditionell aus der Subventionierung von Verlagen herausgehalten haben, letzten Endes gelang es uns aber doch, ein Dutzend der wichtigsten Foundations davon zu überzeugen, daß es den Versuch lohne.

Mittlerweile haben sich noch über zwanzig weitere Stiftungen gefunden, die gemeinsam mit den oben erwähnten großen Foundations den verhältnismäßig geringen Fehlbetrag des Jahresbudgets unseres Verlags The New Press tragen, der nicht durch die Bucherlöse gedeckt wird. Dieser Zuschuß gilt uns als Äquivalent zum altbewährten Stipendium, das einst aufgrund herausragender Leistungen im Hochschulwesen vergeben wurde. Unsere Bücher kommen auf Grund ihres intellektuellen Gewichts ins Programm und nicht etwa wegen ihres potentiellen Beitrags zum Bilanzertrag. In den mittlerweile zehn Jahren seines Bestehens hat der Verlag The New Press eine bunte Palette unterschiedlicher Titel verlegt – angefangen von Übersetzungen fremdsprachiger Literatur über anspruchsvolle Werke der Rechtstheorie und der Historiographie bis hin zu Plädoyers für antizyklisches politisches Denken (so etwa das Plädoyer für eine umfassende Reform des amerikanischen Krankenversicherungssystems), allesamt Themengebiete, die anzupacken sich die etablierten Kommerzverlage immer eindeutiger scheuen. Allerdings konnten wir uns auch des Eindrucks nicht erwehren, daß bestimmte Sorten von Büchern – und Lesern – bereits lange vor der Übernahme der Verlagshäuser durch die Mischkonzerne vernachlässigt worden waren. Verständlicherweise ignorierte man in einer Branche, in der bisher vor allem weiße Mittelschichtler mit entsprechender Grundhaltung tätig waren (und nach wie vor sind), lange Zeit, daß es außerdem noch andere und breiter gestreute Leserschichten gibt. Als Resultat dieser Ausblendung hatte man eine Art geistiger Demarkationslinie gezogen, die kategorisch unterstellte, daß bestimmte Leserschichten an bestimmten Büchern kein Interesse hätten oder sie zumindest nicht kaufen würden.

Zu unseren ersten Buchprojekten gehörten daher diverse Testballons, die das Gegenteil beweisen sollten. So verlegten wir mehrere Bücher über Kunstgeschichte, die unserer Ansicht nach für schwarze Leser von besonderem Interesse sein mußten. Es ging dabei aber nicht um teure Prachtbände für die Couchtische der schwarzen Bourgeoisie, sondern um preiswerte Ausgaben, die sich auch Leute mit wenig Geld kaufen konnten. In der Mehrzahl der Fälle gingen die Erstauflagen dieser Titel mit jeweils 7500 Exemplaren binnen weniger Monate über den Ladentisch.

Aber man hatte nach dem oben angedeuteten Muster nicht allein die Leser ethnischer Minderheiten unterschätzt. Ganz allgemein hatte man für selbstverständlich gehalten, daß es für Titel, deren Lektüre geistige Anstrengung erfordert, kein großes Publikum gibt. Bald nach der Gründung von The New Press im Jahre 1992 fanden wir heraus, daß Tonbandaufnahmen aller wichtigen mündlich vorgetragenen Stellungnahmen existieren, die bei Verfahren vor dem Obersten Gerichtshof der Vereinigten Staaten von Amerika abgegeben worden waren. Man hatte diese Aussagen seit mehr als vierzig Jahren auf Tonband mitgeschnitten, diese in den National Archives verwahrten Dokumente aber bislang noch nie vervielfältigt. Wir beschlossen, eine Auswahl dieser Stellungnahmen zu veröffentlichen (und zwar als Buch und Tonkassette), obwohl uns unsere Kollegen aus anderen Verlagen unisono gewarnt hatten, man könne bei einem solchen Projekt allenfalls auf ein sehr spezielles Publikum, sprich: vor allem auf Juraprofessoren, hoffen. Die meisten Kollegen hatten daher eine Erstauflage von 5000 Exemplaren empfohlen, und selbst dieses Kontingent – so die Vorhersage – würde uns fast zehn Jahre lang reichen. Doch wie sich herausstellte, wurde das Buch mit der Kassette zum größten Verkaufserfolg von The New Press. Natürlich verdankte sich das auch dem Pressewirbel, den uns die ursprünglichen Vorbehalte des Chief Justice eingebracht hatten, ebenso wie einer Auswahlsendung der Bänder durch den öffentlichen Rundfunk. Aber ohne jeden Zweifel hätte das Projekt nie und nimmer einen so enormen Erfolg haben können, wenn es eben nicht doch sehr viele Leute gäbe, die sich nachdrücklich dafür interessieren, wie das Gesetz vor Gericht ausgelegt wird: Mittlerweile haben wir mehr als 75 000 Exemplare des Buches gedruckt, und die Nachfrage bleibt nach wie vor ungebrochen.

Ähnlich riet man uns 1995, lediglich eine kleine Auflage einer langen und detaillierten Untersuchung zu drucken, in der die elf gängigsten Geschichtslehrbücher miteinander verglichen werden, die an den amerikanischen High Schools in Gebrauch sind. Der Autor des Buches, der Soziologe James W. Loewen, besaß Sinn für Humor, konnte überdies elegant und zynisch formulieren und hatte sich nicht zuletzt auch einen exzellenten Titel gewählt: *Lies My Teacher Told Me: Everything Your American History Textbook Got Wrong – Lügenmärchen, die mein Lehrer mir aufgetischt hat: Vollständiger Abriß aller Irrtümer, die in Amerika im Geschichtsbuch stehen.* Mittlerweile wurden unter Einrechnung der von uns vergebenen Übernahmen in Buchclub-Sortimente und Taschenbuchausgaben mehr als 200 000 Exemplare dieses Buchs gedruckt, was beweist, daß sehr viele Leute sehr wohl wissen wollen, was unseren Kindern beigebracht wird und wie das geschieht. Der große Erfolg von Loewens Buch wurde übrigens auch noch von einigen anderen Titeln erreicht, die wir zum Thema Sekundarunterricht veröffentlicht haben.

Die Lehre, die wir bei The New Press aus all dem gezogen haben, ist folgende: Auch wenn es für viele Kategorien von Büchern von Jahr zu Jahr unbestreitbar schwerer wird (aufgrund des geistigen Isolationismus der Amerikaner gilt dies vor allem für fremdsprachige Literatur), hat man vielen Themenbereichen bis heute kein Publikum erschlossen, weil man es schlichtweg nie versucht hat. So hat man viele Leser rundheraus für nichtexistent erklärt, sei es aufgrund rassistisch oder aber elitär geprägter Vorurteile.

Es muß nicht eigens gesagt werden, daß man eine gemeinnützige Verlagsstruktur braucht, um diese unterschlagenen Leser ansprechen zu können. Manche Lektoren in den kommerziell orientierten Verlagen wären zweifellos entzückt, wenn sie nach unserem Muster experimentieren dürften, wo sie doch dazu gezwungen sind, sich auf jene Handvoll Megaseller zu konzentrieren, die es ihnen unter Umständen – sprich: sofern alles gutgeht – erlaubt, den immer unrealistischeren Ertragserwartungen ihrer Verleger zu entsprechen. Alle Lektoren, denen die Zeit »B. C.« alias »Before Conglomerates« alias vor der Geburt der großen Mischkonzerne noch geistig präsent ist, bedauern ohne Wenn und Aber die Beschneidungen, die das Verlagswesen allenthalben erfährt. Was ihnen aber noch ernsteres Kopfzerbrechen verursacht, ist die Tatsache, daß den Leuten, die heutzutage ins Verlagswesen nachrücken, dieser Vergleichsstandard schon von Haus aus fehlt. In ihren Augen ist die aktuelle Lage völlig normal – eben die »Wirklichkeit« – und nicht etwa eine Misere, die es zu hinterfragen und zu verändern gilt.

Das Gros der ernstzunehmenden Belletristik verlegt heute eine Vielzahl ausgezeichneter kleiner und unabhängiger Verlage wie beispielsweise Dalkey Archive, Graywolf, Seven Stories und Four Walls, Eight Windows. (Es reicht ein Blick in die *New York Times Book Review*, um zu sehen, wie viele Erstlinge und wie viele fremdsprachige Romane heute aus diesen kleinen Häusern stammen.) Nach ähnlichem Muster erscheinen heute zahlreiche Sachbücher zu Tagespolitik, Zeitgeschichte und sozialen Themen in den Publikationsorganen von Stiftungen wie beispielsweise der Heritage Foundation, dem Century Fund oder der Brookings Institution, sofern sie nicht von vorneherein von gemeinnützigen Verlagen veröffentlicht werden, die ähnlich wie The New Press funktionieren, beispielsweise bei Beacon, Orbis und Verso. Umgekehrt sind, wie wir bereits gesehen haben, die politischen Sachbücher, soweit sie heutzutage überhaupt noch in den Großverlagen erscheinen, klar parteilich orientiert – sie spiegeln meist die rechtslastige Position der Kapitaleigner des Verlagshauses oder dienen sich ziemlich ungeschminkt deren kurzfristigen politischen Zielen an.

Es wäre allerdings töricht, die soeben skizzierte Entwicklung des amerikanischen und englischen Verlagswesens als eine Geschichte mit glücklichem Ausgang zu begreifen, wo die Kleinverlage und manche Universitätsverlage das übernehmen, was die großen Verlagshäuser als Ballast abgeworfen haben, und wo der freie Markt wieder einmal vorführt, daß die Wahrheit eben doch ans Licht will. Ich will zwar keinesfalls den hohen Stellenwert der Arbeit unterschätzen, die von unseren Kollegen in den Kleinverlagen geleistet wird, trotzdem muß ich unterstreichen, daß die Mittel, über die wir Kleinverleger verfügen, allenfalls einen Bruchteil dessen erreichen, was jeder beliebige Verlag eines großen Mischkonzerns aufzubieten hat – alle zusammengenommen erreichen wir in den USA noch nicht einmal annähernd ein Prozent des Gesamtumsatzes der Buchbranche. Uns fehlt schlicht das Geld und das Personal, um in den Buchladenketten und bei den sonstigen Verteilern, die heute den Buchhandel beherrschen, ernstlich mit den Großverlagen konkurrieren zu können. Auch wenn manche von uns ab und an einen Bestseller landen, kommt trotzdem jeder dritte Titel, der in der Bestsellerliste steht, aus einem Imprint-Verlag, der zum Imperium des Branchenriesen Bertelsmann-Random House gehört.

Die Geschichte lehrt uns freilich, daß Experimente und Entdeckungsreisen weit eher dort gedeihen, wo der kleine Maßstab vorherrscht, wo man Risiken eingeht und zu dem steht, was einen begeistert. So wies 1998 Klaus Wagenbach, bekannter deutscher Verleger und Kafka-Experte, auf folgenden Sachverhalt hin:

Wieder sind ein paar unabhängige Verlage in den zugreifenden Armen der immer gleichen beiden Konzerne verschwunden. Das sei nicht so schlimm? Ich will kurz erklären, warum das nicht nur schlimm, sondern katastrophal ist.

Zuallererst von einer möglichen Zukunft her. Wenn es in dieser schönen neuen Zukunft nur noch eine Handvoll Verlage gibt, wie in der DDR? Was ist – Kommunismus hin, Kapitalismus her – daran attraktiv? Daß die Bücher billiger werden? Kann sein, aber es erscheint auch nur ein Zehntel. Im Fall der DDR durch die Zensur eines Parteikomitees, in unserem (potentiellen) Fall durch die Zensur des Massengeschmacks.

Große Einheiten denken in großen Stückzahlen.

Neue, seltsame, verrückte, wissenschaftlich innovative oder experimentelle Bücher erscheinen aber in kleinen oder mittleren Auflagen. Und dafür sind die kleineren Einheiten da. Wir.

In diesen kleineren Einheiten sitzen keine Komitees oder Marketing-Gremien, sondern einzelne, die aus Leidenschaft, entschiedener Meinung oder purem Narzißmus Bücher machen, ohne Gewinnabsicht. Bücher, die sonst oft gar nicht erscheinen würden.

Drücken wir's so harsch und sachlich wie möglich aus: Wenn die Bücher in kleinen Auflagen verschwinden, stirbt die Zukunft. Kafkas erstes Buch erschien in 800 Exemplaren, Brechts Erstling in 600 Exemplaren. Was wäre geschehen, wenn die Kollegen Kurt Wolff und Georg Müller diese Autoren nicht veröffentlicht hätten? Wären sie dann bei Ullstein erschienen?

Von unverzerrtem Wettbewerb oder einem freien Markt kann im amerikanischen Verlagswesen heute ohnehin nicht mehr die Rede sein – was wir sehen, ist die klassische Situation des Oligopols, ja fast schon des Monopols. Die über die verschachtelte Besitzstruktur ermöglichten Verbindungen der Großkonzerne zu anderen Medien räumen diesen unglaubliche Vorteile ein, was die Berichterstattung und Werbung in der Tagespresse, im Fernsehen und in den Zeitschriften betrifft. Konzerne, die sowohl Verlage als auch Zeitschriften besitzen, zögern nicht, den Büchern unverhältnismäßig viel Beachtung zuzumessen, die bei ihren Verlagstöchtern erscheinen. Was es braucht, um solch enorme Macht zu zügeln, liegt auf der Hand: Bei zunehmender Konzentration und Großkonzernbildung fällt dem Staat die entscheidende Rolle zu.

Sehen wir einmal vom Wachsen und Gedeihen, sprich dem
begrenzten Erfolg der neuen, unabhängigen Kleinverlage
ab, welche Hoffnung bleibt uns dann für die kommenden
Jahre fürs Verlagswesen?

Im wesentlichen sind es meiner Ansicht nach drei Bereiche, in denen man gewisse Fortschritte erwarten darf. Der
erste ist der Bereich der Computertechnologie – mit viel
Wirbel um den Nutzen, den das Internet als Medium der
Informationsvermittlung bietet. Der Wildwuchs von Websites ist freilich bereits an sich ein schwindelerregendes
Phänomen; allein in den USA gibt es über eine Million
Websites, und täglich kommen zahllose neue hinzu. Jeder
kann sich eine Internetseite einrichten, jeder Autor auf diesem Weg seine Arbeit veröffentlichen, jede Zeitschrift kann
sofort im Internet loslegen und darauf hoffen, in aller Welt
ein gleichgesinntes Publikum zu erreichen.

Ganz offensichtlich ist diese ungeheure Zahl von Websites
jedoch ebensosehr ein Dilemma wie eine Chance. Wer jemals ernsthaft das Worldwide Web benutzt hat, weiß, daß
man bei vielen der Websites nie wissen kann, wie verläßlich sie sind und was sich eigentlich dahinter verbirgt. Eine
allem Augenschein nach harmlose Adresse entpuppt sich
als PR-Sprachrohr eines Herstellers oder einer Werbeagen-
tur, womöglich als Deckmantel einer politischen Gruppe
oder gar rassistischer Hetzer. Oder aber wir haben es mit
den gutgemeinten, weitschweifenden Darlegungen einer
letztlich doch falschinformierten Einzelperson oder Gruppe
zu tun. Das Verlagswesen umgeht diese Probleme: Verleger
sind zunächst einmal Leute, die eine Auswahl treffen, sprich

das Material aussuchen, das sie unter Einhaltung gewisser Kriterien veröffentlichen wollen. Und weil sie das Gedruckte unter ihrem Namen herausgeben, haben sie ihren guten Ruf beim Leser bald etabliert – sofern er sie nicht umgekehrt vor künftigen Fehlgriffen warnt. Stammt ein Buch aus einem bestimmten Verlag, läßt sich mehr oder minder getrost davon ausgehen, daß es verläßlich bestimmten Kriterien entspricht. Es mag zwar eine bestimmte politische Voreingenommenheit verraten, trotzdem darf man davon ausgehen, daß das Geschriebene in etwa den Tatsachen entspricht; darüber hinaus bieten die Namen der Herausgeber und Autoren zumindest eine gewisse Garantie für Form und Inhalt. Das soll nun nicht heißen, daß nicht manche Websites über kurz oder lang ebenso klar identifizierbar werden könnten, wie die Verlage es oft schon sind. Vorerst aber geht es nicht ohne erhebliche Tücken ab, wenn man sich im Web oder anhand des Webs orientieren will.

Ein zweites Problem in diesem Zusammenhang sind die Kosten der Einrichtung einer solchen Website. Nur wenige Leute haben einen Weg ausfindig gemacht, der die Leser dazu bringt, für das aus dem Netz gefischte Material zu bezahlen. Eine Website einzurichten und auf dem aktuellen Stand zu halten, kann viel Geld kosten. Es steht außer Frage, daß das Web für alle Autoren enorme Vorteile bietet, die darauf brennen, veröffentlicht zu werden, und die deswegen ihre Werke nur allzu gerne kostenlos unter die Leute bringen. Ähnliches gilt für staatliche Einrichtungen wie beispielsweise die American Library of Congress, die auf ihrer Website mittlerweile eine verblüffende Breite von Informationen verfügbar macht. Doch für all diejenigen, die mit dem wirtschaftlichen Problem kämpfen müssen, wie sie ihr Material fürs Datennetz aufbereiten und ihren Auftritt im Internet in Auftrag geben, bleibt die Frage der Bezahlung im Netz eine schwer zu überwindende Barriere.

Natürlich gibt es manche Anbieter, die teure Mechanismen eingebaut haben, um die Nutzer/Leser allein schon beim Aufrufen ihrer Website zur Kasse zu geleiten; so verlangt z. B. *Le Monde* ebensoviel für die Nutzung ihrer Website, wie man am Kiosk für ein Exemplar der Zeitung bezahlt. Doch für das Gros der Internetanbieter stellt sich die Frage, ob sie das Material kostenfrei anbieten oder aber ein komplexes und teures Verfahren zur Gebührenerhebung pro Nutzungszugriff installieren.

All das läßt unbenommen, daß das Web den Verlagen bei der Verbreitung von Informationen über die verlegten Bücher und beim Verweis auf bibliographische Angaben bald sehr hilfreich sein wird. In den USA haben die beiden Online-Buchhandelsgiganten Amazon.com und barnesandnoble.com ein gewaltiges PR-Spektakel gestartet, in dem jeder dem Publikum weismachen will, daß er den Zugriff auf die größere Anzahl von Büchern bietet; angeblich lassen sich über ihre Website bis zu acht Millionen Buchtitel abrufen. Auch wenn diese Bibliographien derzeit noch manche Mängel aufweisen, sind sie ganz offensichtlich von großem Nutzen für jedermann, der nach einem bestimmten Buch sucht. Daß umgekehrt auch die Verlage übers Internet auf sinnvolle Weise einen direkten Draht zu ihren Lesern finden werden, liegt künftig durchaus im Bereich des Möglichen. Die negative Seite ist freilich, daß die Buchhändler zunehmend umgangen werden – daher wird es für die kleine Schar der ums Überleben kämpfenden Buchläden immer schwerer werden, sich nicht allein gegen die Buchhandelsketten, sondern jetzt auch noch gegen eine Online-Konkurrenz zu wehren. Angesichts der Tatsache, daß seriöse Verlage für ihr Überleben unbedingt auf unabhängige Buchhändler angewiesen sind, mögen sich die oben aufgezählten positiven Seiten des Internets durch den unvermeidlichen Verlust einer immer größeren Zahl unabhängiger Buchläden im Laufe der nächsten Jahre gut und gerne in ihr Gegenteil verkehren.

Der zweite Bereich, der einen Ausweg aus dem Würgegriff der großen Mischkonzerne eröffnen könnte, ist die Politik. Wie wir gesehen haben, sind die Großkonzerne in den USA und in Großbritannien infolge ihrer Kontrolle über die wichtigsten Medien inzwischen derart mächtig geworden, daß die Regierungen vor dem Rückgriff auf eben die Bestimmungen der Antikartellgesetzgebung zurückschrecken, die früher als effektive Steuerungswerkzeuge gedient hatten. Nachdem der Washingtoner und auch der Londoner Regierungsapparat bereits mehrfach offenkundigen Erpressungen der Besitzer der großen Mischkonzerne nachgegeben hat, erscheint es mir unrealistisch, daß die Regierungen anderer Länder jetzt plötzlich Zivilcourage beweisen sollten.

Optimistischer schätze ich allerdings die Lage bei der Europäischen Union ein. Dort vereitelte eine kürzlich gefällte Entscheidung der Antimonopolkommission die vorgeschlagene Fusion von Reed-Elsevier mit Walters Kleuwers, einem weiteren ursprünglich niederländischen, aber mittlerweile weltweit aktiven Mischkonzern, auf den ein gewaltiger Marktanteil bei Nachschlagewerken und sonstigen Informationsquellen entfällt. Die Kommission kam zu Recht zu dem Schluß, daß diese Fusion den beiden Unternehmensgruppen ein Quasimonopol in zentralen Feldern der Informationsvermittlung beschert hätte, weswegen ihr Zusammenschluß untersagt wurde. Man kann nur hoffen, daß die europäischen Regierungen, die sich zunehmend der Bedrohung ihrer kulturellen Eigenständigkeit durch diese Großkonzerne bewußt werden, zukünftig strikter vorgehen werden und solche Großfusionen verhindern, ja daß sie möglicherweise sogar nachträglich die Zusammenschlüsse von Großunternehmen in Frage stellen, die bereits abgesegnet sind.

Ein dritter Bereich, in dem ich einen denkbaren Ausweg aus unserer Misere sehe, ist die staatliche Förderung des Verlagswesens. Möglicherweise könnten auch die Verlage in das umfassendere Rahmenwerk der staatlichen Subventionierung von Kultur eingebettet werden. Längst unterhalten alle europäischen Staaten üppig alimentierte Programme zur Förderung von Spielfilmprojekten. In ganz ähnlicher Weise gibt es staatliche und auch staatenübergreifende Maßnahmen zur Finanzierung von Fernsehsendern; diese Förderprogramme sind finanziell ebenfalls sehr großzügig ausgestattet. Und wirklich ist der Großteil der sehenswerten europäischen Fernsehproduktionen der letzten Jahre aus solchen staatlich subventionierten Vorhaben entstanden. Und es existieren mittlerweile auch noch ganz neue Strukturen wie beispielsweise der deutsch-französische Kulturfernsehkanal Arte, dessen Programm auf einem unendlich höheren Niveau liegt, als man es sonst irgendwo in der englischsprachigen Welt und in den meisten Staaten Europas zu sehen bekommt.

Natürlich läßt sich so etwas schlecht prognostizieren, aber es scheint zumindest nicht völlig außerhalb des Bereichs des Denkbaren zu liegen, daß staatliche Stellen zukünftig auch den Büchermachern ähnliche Hilfsmaßnahmen zubilligen. Es fehlt jedenfalls nicht an Strukturen, die staatliche Beihilfen in Form von Stipendien und sonstigen Zuwendungen an Autoren vergeben könnten, wenn dadurch wichtige belletristische Werke und Sachbücher entstehen. Auch die Verlage könnten für einzelne Buchprojekte finanzielle Unterstützung erhalten, sofern diese Themenbereiche behandeln, bei denen der Verlag auf jeden Fall Geld zusetzt. Ebenso könnte die aktuelle Tendenz zur Kürzung der Etats von Bibliotheken wieder rückgängig gemacht werden, was die Zahl der Buchankäufe spürbar steigen ließe und so den Büchereien und Fachbibliotheken erneut die Rolle einräumen würde, die sie früher bei der Veröffentlichung anspruchsvoller Texte übernahmen. Ich will hier gar nicht im einzelnen all die diversen Kulturprogramme aufzählen, die man initiieren könnte – es genügt zu sagen, daß die Mechanismen längst bekannt und verfügbar sind, die mit relativ überschaubaren Mitteln das Überleben anspruchsvoller Vorhaben in einem Umfeld gewährleisten könnten, wo alle Welt stereotyp nach mehr Markt schreit und solchen Projekten immer feindseliger gegenübertritt. Ermutigend wirkt in diesem Zusammenhang die Kulturpolitik eines Landes wie Norwegen, wo man ehrgeizige Pläne zur Sicherstellung der kulturellen Eigenständigkeit entwickelt hat, dank derer

Verlage, Buchhändler und Bibliotheken in konzertierter Aktion zusammenarbeiten, um die Ankäufe der Büchereien, die Drucklegung norwegischer Autoren und norwegenbezogener Themen auf Dauer zu sichern.

Im Vergleich zur Situation in den USA bietet die aktuelle politische Lage in Europa, wo in immerhin vierzehn Staaten Sozialisten an der Macht sind oder zumindest in der Regierungskoalition sitzen, ein weitaus günstigeres Klima für alle derartigen Diskussionen. Allerdings gibt es in Europa derzeit weitaus drängendere Fragen als die nach der kulturellen Eigenständigkeit der verschiedenen Länder. Die Notwendigkeit der Beibehaltung sozialer Mindestgarantien und die Schaffung gesellschaftlicher Rahmenbedingungen, in denen Lohnarbeit wieder zur realen Möglichkeit für alle wird, die nach Lohnarbeit suchen, sind eindeutig dringlicher und für die Politiker außerdem merklich attraktiver als die Forderung nach einem eigenständigen Kulturleben. Andererseits betreiben die meisten europäischen Regierungen seit vielen Jahren aktive Kulturpolitik, und zwar wesentlich engagierter als ihre Kabinettskollegen in Großbritannien und den USA.

Ironischerweise müßte der erste Schritt aus der beschriebenen Misere sein, Bücher zu veröffentlichen, die den ganzen Themenkomplex einmal gründlich durchleuchten und konkrete Vorschläge unterbreiten, die im Rahmen jedes einzelnen europäischen Staates sinnvoll erscheinen. Man kann nur hoffen, daß die wenigen noch verbliebenen unabhängigen Verlage diese Herausforderung begreifen und entsprechend reagieren, solange überhaupt noch Zeit und Raum für eine grundsätzliche Debatte bleibt.

Wohl ist es richtig, daß die Schwierigkeiten, mit denen wir Büchermacher uns am Beginn des neuen Jahrtausends konfrontiert sehen, sowohl in ihrer Dringlichkeit als auch in ihrer Komplexität überwältigend wirken. Aber genau deshalb kann eine selbstbestimmte Gruppe von Verlagen, die bereit sind, Antworten auf diese schwierigen Fragen zu geben, den entscheidenden Anstoß geben. Überlassen wir das Reich der Ideen dagegen den Leuten, die ausschließlich unterhalten oder umgekehrt lediglich das bereits vorliegende Faktenwissen verfügbar machen wollen, dann wird die Diskussion, die wir so dringend brauchen, nie geführt werden. Vor allem diesem Schweigen ist es zu verdanken, daß das geistige Leben in den Vereinigten Staaten weitgehend paralysiert ist. Ich kann nur hoffen, daß die Entschlossenheit, den Marktkräften, die diese Lähmung bewirkt haben, endlich den Kampf anzusagen und sich neue und gangbare Alternativen dazu auszudenken, in Europa weitaus stärker sein wird als in Nordamerika.

Vor über zehn Jahren, noch vor dem Fall der Berliner Mauer, flog ich nach Moskau zu einer Fachtagung amerikanischer und sowjetischer Historiker, die Wege zur Neuschreibung der Geschichte des Kalten Krieges bahnen wollten. Die Konferenz war höchst sonderbar, da alle russischen Teilnehmer mit Feuereifer ausschließlich der Sowjetunion die Schuld zuschoben und die USA pauschal von allen Konflikten freisprechen wollten, die Europa und die Welt in den letzten vierzig Jahren erschüttert hatten. Die Amerikaner, insgesamt gesehen eine Gruppe von Liberalen, vertraten im Gegensatz dazu einen differenzierteren Ansatz, der beiden Seiten die Verantwortung zuschrieb und ganz und gar nicht die Vorstellung akzeptieren konnte, die Vereinigten Staaten wären ein unschuldiges Opfer Stalins und seiner Nachfolger gewesen.

Die Tagung endete mit diesem ambivalenten Unterton, und auf dem Weg zurück in mein Hotel spazierte ich plötzlich durch einen der vielen kleinen Parks, die überall in Moskau zu finden sind. Ich schaute mir die jungen Leute an, die sich amüsierten und mit ihren Kindern auf einem Wochenendbummel unterwegs waren, und prompt fiel mir auf, wie unglaublich viele von ihnen Ansteckenadeln mit den Namen bekannter Firmen aus dem kapitalistischen Ausland trugen – Nike, Marlboro, Adidas waren die Namen derer, denen man hier neuerdings die Treue schwor. Die bunten Werbeembleme hatten die Lenin-Anstecker und sonstigen Sowjet-Memorabilia verdrängt, die ich auf meiner Reise fleißig gesammelt hatte, um sie meinen Kindern mitzubringen. Der Westen hatte zwar bis zu einem gewissen Grad den Krieg der Ideen, vor allem aber hatte er den Krieg an der Konsumfront gewonnen. Wie sich seither deutlich zeigt, hat die neue Generation der Russen mit Begeisterung die Sitten und Gebräuche der westlichen Konsumgesellschaft imitiert. Das im Westen übliche Konsumniveau hatte sie überzeugt – und zwar mindestens so nachdrücklich wie die Ideale der Demokratie, vermutlich sogar noch mehr. Der Markt hat den Sieg errungen, und zwar triumphaler, als es dem einen oder anderen Machtblock jemals gelungen war – und jetzt versuchen die Marktschreier ihre ideologischen Werte ebenso gründlich und in mancher Hinsicht sogar noch allgegenwärtiger durchzudrücken, als es die Propagandamaschinerie von einst versuchte. Unsere Städte strotzen heutzutage nur so vor Werbetafeln, die Werbung beherrscht das Fernsehen ebenso wie das Radio, auch das Kino wird immer erfolgreicher in die Verbreitung der Doktrin des Warenkonsums eingespannt. Die weltweit angelaufene Maschinerie der Verführung zu immer mehr Konsum und immer noch mehr Markt übertrifft alle Prognosen, die man noch vor wenigen Jahren gewagt hätte.

Der Kampf wird indes auch mit Büchern und im Verlagswesen ausgetragen. Mehr und mehr werden unsere Bücher zu bloßen Anhängseln der Welt der Massenmedien – geboten werden leichte Kost, seichte Unterhaltung, alte Hüte, kurz die Versicherung, daß in dieser besten aller denkbaren Welten alles zum denkbar besten steht. Die Frage ist, ob die Eigentümer einer Maschine, die aus Kino und Fernsehen solch enorme Profite zieht, gewillt sein werden, geringere Renditemargen für Bücher zu akzeptieren, die sich für differenzierteres Denken aussprechen, ja ob sie solche Bücher überhaupt noch in ihren Titelkatalogen dulden werden.

Wie aus den zitierten Beispielen aus den USA und Großbritannien deutlich wird, kommt das Verlegen eines Titels, der keine sofortige Aussicht auf Gewinn verspricht, bei den führenden Großverlagen nur noch in den allerseltensten Ausnahmefällen in Betracht. Die Aufsicht über die Verbreitung von Ideen fällt unendlich rigider aus, als man das in einer demokratischen Gesellschaft für möglich gehalten hätte. Der Bedarf nach öffentlicher Diskussion und unvoreingenommener Debatte, der untrennbar zum Ideal der Demokratie gehört, kollidiert mit dem immer rabiateren Pochen auf totalen Profit. Kein Wunder, daß sich heutzutage im Westen so etwas wie eine Entsprechung zum sowjetischen *Samizdat* entwickelt hat. Natürlich riskieren die wenigen noch verbleibenden unabhängigen Verleger weder Inhaftierung noch Exil – man erlaubt ihnen durchaus, alle Lücken im Panzer der Marktideologie aufzutun, die sie ausfindig machen können, es steht ihnen frei, jedermann von ihrem Anliegen zu überzeugen, den sie mit ihren in aller Regel kleinen Auflagen und ihrer begrenzten Reichweite erreichen können. Die Großverlage jedenfalls verhalten sich äußerst zögernd, wenn sie die Verbreitung abweichlerischer oder antizyklischer Ideen zulassen sollen.

Doch die Schlacht um die Leser und das Buch ist noch nicht völlig verloren. Auch wenn das Bild in den USA und Großbritannien so finster aussieht, wie ich es gemalt habe, bleibt in Europa noch manches offen. In den kommenden Jahren wird sich zeigen, wie die Würfel fallen – in den juristischen Entscheidungen, die in Brüssel gefällt werden, in den Gesetzgebungsdebatten der Parlamente der einzelnen europäischen Staaten, in den Programmkonferenzen jedes einzelnen Verlags, vor allem aber in den Köpfen der potentiellen Leser.

Anläßlich der Feier des vierzigsten Jahrestages unseres Abschlußexamens an der Yale University war ich gebeten worden, eine kurze Ansprache an meine Ex-Kommilitonen zu halten. Wie nicht anders zu erwarten, war das Gros der Leute, die zu dieser Veranstaltung erschienen waren, ziemlich wohlhabend: Sie alle, ob sie nun Geschäftsleute, Rechtsanwälte oder Ärzte waren, hatten Karriere gemacht.

In meiner Rede erzählte ich von den Veränderungen, die sich im Verlagswesen ergeben hatten, und führte aus, daß sich meines Wissens in sämtlichen Bereichen, die man früher unter dem Sammelbegriff »akademische Berufe« zusammenzufassen pflegte, ganz ähnliche Entwicklungen abspielten. So beklagen sich die Ärzte, daß sie inzwischen mehr mit der Verwaltung von Geldern als mit Gesundheitsfragen zu tun haben und sich so intensiv mit den Forderungen und Vorgaben der privaten Krankenversicherungsträger, Firmenkrankenkassen, Kliniken und Versicherungsgesellschaften herumschlagen müssen, daß ihr fachlicher Entscheidungsspielraum massiv eingeschränkt ist. Ganz ähnlich beschweren sich die Rechtsanwälte über die Tatsache, daß Bezahlung und Ansehen nur noch nach der Summe bemessen werden, die sie ihrer Kanzlei an Umsatz einbringen; selbst die Anwälte, die mehr als eine Million Dollar im Jahr verdienen, beklagen die Verarmung ihrer Aufgaben als Juristen und das Schwinden ihrer Gestaltungsmöglichkeiten. Die Hochschullehrer wiederum äußern sich verbittert über die Profitzwänge an den Universitäten. Die Verwaltung macht ihre Fachbereiche dicht, streicht ihnen die Lehrveranstaltungen zusammen oder kappt sie ganz, entscheidet alle universitären Belange nur noch nach den Kriterien des Markts – primär interessiert jetzt, wieviel Geld die Lehrangebote der einzelnen Fachbereiche abwerfen; was dabei an Erkenntnisgewinn oder Diskussionen herausspringt, zählt nicht mehr. In den Gesprächen nach dem Abschluß meiner Rede stimmten mir meine Ex-Kommilitonen durchgängig zu, daß sich ihr Berufsbild vollständig geändert hätte. Und oft bekam ich, egal was der oder die Betreffende im Laufe der letzten vierzig Jahre beruflich getan hatte, zu hören: »Hätte ich gewußt, wie sich die Dinge entwickeln, hätte ich diesen Weg nie und nimmer eingeschlagen...«

Mittlerweile ist vielen Leuten bewußt, daß unsere Gesellschaft grundlegende Änderungen erfährt, seit dem Geld solch zentraler Stellenwert zugesprochen wird. Andere

Werte, auf die man bislang als Gegenkräfte gebaut hatte, verschwinden rasch aus dem Blick. Nicht nur unser Besitz, auch unsere Arbeitsplätze und sogar wir selbst sind zu Waren geworden, die man nach Belieben kauft und weiterverscherbelt an den, der das meiste bietet. Gewiß gab es auch schon andere Zeiten, in denen man solche Umbrüche beobachten konnte – nur sind die Folgen diesmal im Zug der Globalisierung und der Industrialisierung der Medien überwältigend.

Was sich im Verlagswesen abgespielt hat, ist also keinen Deut schlimmer als das, was bei den übrigen Freiberuflern geschieht – und trotzdem kommt dem Umbruch in der Verlagswelt allerhöchste Brisanz zu: denn nur in Büchern lassen sich Argumente und Fragen ausführlich und im Detail darstellen. Bücher waren traditionell das einzige Medium, bei dem zwei Leute – sprich der Autor und ein Verleger – sich darauf einigen konnten, daß etwas gesagt werden mußte, und es dann mit vergleichsweise wenig Geld bewerkstelligten, mit ihren Thesen an die Öffentlichkeit zu treten.

Bücher unterscheiden sich ganz wesentlich von anderen Medien – anders als bei Zeitschriften spielen die Inserenten keine Rolle, und anders als Fernsehen und Kino ist das Buch nicht auf ein Massenpublikum angewiesen.

Bücher können es sich leisten, antizyklisch zu sein, neue Ideen zu präsentieren, den Status quo herauszufordern, all das in der Hoffnung, langfristig ein Forum für ihr Anliegen zu finden. Die Bedrohung, der sich solche Bücher und die in ihnen enthaltenen Ideen – eben das, was man früher als den Markt der Ideen bezeichnet hat – ausgesetzt sehen, stellt nicht allein für die gewerbsmäßigen Büchermacher, sondern für die Gesellschaft als Ganzes eine gefährliche Entwicklung dar. Wir müssen daher neue Mittel und Wege zur Beibehaltung des Diskurses finden, der früher als unverzichtbarer Bestandteil einer demokratischen Gesellschaft galt. Die New Press und die anderen von mir genannten Kleinverlage haben es unternommen, sich dieser Herausforderung zu stellen; es braucht freilich weit mehr als das, was wir bislang zuwege gebracht haben. Wir müssen darauf hoffen, daß in den kommenden Jahren immer mehr Leute hier in den Vereinigten Staaten, in Europa und anderswo begreifen werden, wie gefährlich es ist, in einer Kultur zu leben, die lediglich eine begrenzte Auswahl an Ideen und Alternativen bietet; wir müssen begreifen, wie unabdingbar es ist, daß in einer Gesellschaft unterschiedlichste Standpunkte zur Diskussion stehen. Kurzum: Wir müssen uns wieder daran erinnern, wie wichtig Bücher schon immer in unserem Leben gewesen sind.

Klaus Wagenbach   *Nachwort*

André Schiffrins Beschreibung des Buchmarkts und seine
Thesen zur Zukunft der Bücher machen auch die Zustände
in den deutschsprachigen Ländern deutlich, nicht nur, aber
auch deswegen, weil zwei deutsche Buchkonzerne den US-
Markt beherrschen. Man kann also Vergleichbares, Unter-
schiede und künftige Entwicklungen ziemlich genau erkennen.

Vergleichbares

Mit den Zuständen auf dem US-Buchmarkt vergleichbar ist
der Einbruch des industriellen Renditedenkens in ein Gewerbe, dem dieses Denken nicht nur fremd war, sondern
geradezu Anti-Basis für Vielfalt und Freiheit. Jeder in Europa wußte: Der Buchmarkt ist bevölkert von seltsamen Leuten, die sich nicht marktkonform verhalten, und das durchaus nicht immer aus freien Stücken, sondern auch wegen
des Risikos seiner seltsamen Waren. 1982 habe ich noch in
aller Ruhe geschrieben: »Dieses hohe, berufsnotorische Risiko ist auch der Grund dafür, daß das Buchgewerbe bisher
vom Druck des großen Kapitals vergleichsweise frei geblieben ist. Die Profite sind klein – wer Geld verdienen will, in-
vestiert woanders.« Tempi passati. Wo früher (und bei den
ernsthafteren Verlagen auch heute noch) Umsatzrenditen
von 2–5% üblich waren, lautet die Zielvorgabe des Bertels-
mann-Konzerns heute 15%. Darunter beginnen verschiedene Krankheitsformen, ab 10% die (wörtlich!) »Todeszone«.
   Ähnlich auch die Gefährdung der unabhängigen Buchhandlungen durch Buchkaufhäuser und Buchdrogerien.

Die Buchkaufhäuser bieten eine Breite, die die unabhängigen Buchhandlungen nicht immer durch Tiefe wettmachen können, die Buchdrogerien (Weltbild, Libro) bieten die Bequemlichkeit, eine beschränkte Auswahl von oft nicht einmal tausend Titeln, behandeln also den Käufer als einen von anderen Ladenketten schon entsprechend idiotisierten Schmalspurkonsumenten.

Vergleichbar ebenso die von Schiffrin so eindringlich beschriebenen spekulativen Vorschüsse, die auch so manchen deutschen Verlag ruiniert haben, von Harald Juhnke bis Monica Lewinsky. Sie sind die *eigentliche* Ursache für die Verluste, für die dann ein schwer verkäuflicher Gedichtband haftbar gemacht werden soll. Wobei die deutschen Verleger weltweit, wie es einmal ein Kenner (Klaus Harpprecht) beschrieben hat, als »sucker«, als leicht auszunehmende Schwachköpfe, gelten. Dabei handelt es sich allerdings oft nicht um Verleger im eigentlichen Sinn, sondern mehr um die Verwalter von Kriegskassen, die ihnen von irgendwelchen Finanziers eingerichtet wurden, damit sie mal shoppen gehen. Ich erlebe das jetzt schon zum werweißwievielten Mal: Nach ein paar Jahren ist das Geld alle und der Laden wird wieder dichtgemacht. Der Gaunerzinken an der Wand bleibt allerdings und verpestet für eine Weile die Gegend.

Ähnlich die Lage der Bibliotheken. Auch bei uns wurden die Etats gekürzt, was zu gewaltigen Einbrüchen bei schwierigen Titeln führte, denn es blieb keineswegs bei der Streichung des berühmten zweiten Exemplars für die Seminarbibliothek oder den Lesesaal, sondern es wurde auch das erste gestrichen: Unter dem Sparzwang wurden nämlich sämtliche ›unnötigen‹ Titel eliminiert, sodaß die heutigen Bibliotheksbestände sich einander gleichen wie Eier, wo sie doch höchst unterschiedliche Labyrinthe für höchst verschiedene Eierköpfe sein sollten.

Ähnlich der Einbruch der smarten Betriebswirtschaftler. Originalton (Thomas Middelhoff, Bertelsmann): »Im Buchbereich haben wir mit der Akquisition von Random House ein klares Bekenntnis zum Medium Buch abgegeben.« Was heißt das? Es heißt: »Konvergenz ist das Stichwort. Für Medienunternehmen ist sie mit einem Paradigmenwechsel verbunden. Es wird und muß auch zukünftig Verleger im klassischen Sinne geben, die vor allem Verleger sind, also wertvolle und attraktive Inhalte generieren und vermarkten; Medienunternehmer aber haben die Aufgabe, darüber hinaus die Chancen einer medialen Grenzüberschreitung konsequent zu nutzen.« Ist ja schön, daß wir weiterhin einige wertvolle und attraktive Inhalte generieren dürfen.

Wenn aber die Inhalte wertvoll sind, müßte dem doch auch die Form entsprechen, oder? Es zeigt sich hier, daß diese Argumentation nicht für einen Augenblick bei Fragen der Ästhetik (und damit der Kultur) verharrt, sondern sie geradezu panisch überspringt. Das muß sie auch, denn solche Fragen stünden der »konsequenten Nutzung« durch die »mediale Grenzüberschreitung« ja deutlich im Wege. Und ob Thomas Middelhoff weiß, daß sein mittlerweile schickes Wort vom »Paradigmenwechsel« zum erstenmal (von Carlo Ginzburg geprägt) in einem Buch bei Wagenbach (Erstauflage 2500 Exemplare) stand? Da lacht der Generator.

Die famosen »Manifeste«, die McKinsey und Konsorten nach der Betriebsprüfung bei S. Fischer und Rowohlt verfaßten, sind ja häufig genug durch die öffentlichen Pfützen gezogen worden, sodaß ich mich auf ein Zitat beschränken kann: »Jedes in den S. Fischer Verlagen publizierte Werk hat dementsprechend seine eindeutige Position in einem Koordinatensystem von Gegenwartsbezug, Gedächtnisfähigkeit und Rezeptionserlebnis«, womit »die in den S. Fischer Verlagen veröffentlichten Inhalte auf der Höhe der Zeit sind und die Bewußtseinslagen und Bedürfnisse ihres Publikums treffen.«

In den guten alten rohen Zeiten nannte man so etwas gequirlte Scheiße, aber heute kommt es mit Blazer und Handy daher. Angeblich soll dieses ›Manifest‹ in einem ›Arbeitskreis‹ entstanden sein, aber eines steht fest: ein Lektor hat an diesem Arbeitskreis nicht teilgenommen; man hat in der Tat einen »veröffentlichten Inhalt auf der Höhe der Zeit«

vor sich, nämlich unlektoriert. Betriebswirtschaftsjargon in Reinform – nicht von ungefähr erinnern seine Leerformeln an die ökonomistischen Beschwörungsformeln der weiland DDR und ihrem »Kollektiv der vorbildlichen Verkaufskultur: Jeder jeden Tag mit positiver Bilanz.«

Ähnlich schließlich auch, will man es höflich ausdrücken, der Entzug der gesellschaftlichen Aufmerksamkeit für Bücher. Die Verwalter öffentlicher und auch privater Mittel für Bücher schlagen sich immer weniger auf die Seite der Bücher und immer mehr auf die Seite der Mittel. Nicht die Bilanzverluste werden verteidigt, sondern die Rentabilität – Schiffrin nennt das wahrlich erschreckende Beispiel des wahrlich belesenen Keith Thomas. In Deutschland entwickelt sich ähnliches. Bezeichnenderweise besuchten die Controller von McKinsey die *Buch*verlage des Holtzbrinck-Konzerns und nicht einige gleichfalls defizitäre *Zeitungs*-verlage desselben Konzerns. Oder: Wenn einer bei uns »Hochkultur« sagt, hat das nicht nur einen süffisanten Unterton, sondern er meint eigentlich immer nur die Oper.

Seitdem es neuerdings einen kulturbeauftragten Staatsminister beim Bundeskanzler (glücklicherweise auch noch ein ehemaliger Verleger) gibt, könnte sich dieser buchfeindliche Prozeß verlangsamen. Womit wir bei den Unterschieden wären.

Unterschiede zu den USA

Der wichtigste Unterschied: Es gibt in Deutschland, Österreich und in der Schweiz immer noch ein ziemlich feinmaschiges Netz von Buchhandlungen, was auch mit einer Buchhandelstradition zu tun hat, die es in den USA in dieser Form niemals gab. Das gilt ebenso für die Distribution, sowohl Auslieferungen wie Zwischenbuchhandel. Da, wo es in den USA oft unmöglich ist, Bücher zu beschaffen (es sei denn, und das ist einer der Gründe für dessen Siegeszug, über das Internet), kann hier jede Buchhandlung jedes lieferbare Buch innerhalb kurzer Zeit besorgen.

Ein weiterer Unterschied: Die in den USA üblichen Universitätsverlage (und damit auch die Problematik ihrer Subventionierung oder Nichtsubventionierung) sind in den deutschsprachigen Ländern nicht üblich.

Schließlich: Der feste Ladenpreis für Bücher.

Ich will hier nicht alle Argumente für seinen Bestand wiederholen, sondern nur an zwei Beispiele erinnern: Frankreich hat die bittere Erfahrung gemacht, was seine Aufhebung bedeutet, und hat ihn nach einigen Jahren wieder eingeführt, zum Schutz der unabhängigen Buchhandlungen und Verlage, die sonst die lächerlichen Auflagen eben der Bücher, die das Neue und Andere vorstellen, nicht finanzieren können. In England sind fünf Jahre nach Aufhebung der Preisbindung die Folgen katastrophal: Billiger sind nur eine Handvoll Bestseller geworden, der gesamte Rest der Bücher teurer, dennoch ist der Gesamtumsatz an Büchern rückläufig, sodaß sogar die eigentlichen Verursacher der Aufhebung, nämlich Buchketten wie Waterstone's, defizitär arbeiten.

Betrachten wir aber für einen Moment die Gegner des festen Ladenpreises für Bücher, es sind im wesentlichen drei.

Einmal die Redakteure der Wirtschaftsteile der Tageszeitungen, natürlich Anhänger des free market und ohne Verständnis für Leute, die eine unprofitable Sache durch eine profitable subventionieren, statt sie einfach zu streichen. Die Herren sitzen freilich im Glashaus: Sie sind selbst subventioniert, denn Zeitungen haben ebenfalls einen festen Ladenpreis.

Zweitens: Die Wettbewerbskommission der EU in Brüssel. Auch sie sitzt im Glashaus. Sie, die doch der Annäherung der Europäer dienen sollte, begreift nicht, daß der feste Ladenpreis eben diese Absicht fördert. Ich denke mit Bitterkeit an eine Sitzung der Kommission zurück, zu der ich als Sachverständiger geladen war. Aus naheliegenden Gründen nahm ich die junge italienische Literatur als Beispiel, um zu erläutern, daß der feste Ladenpreis uns erlaube, gut gängige Titel etwas teurer zu verkaufen und damit eben diese schwer verkäufliche Literatur zu finanzieren. Dadurch seien die deutschen Leser besser über die zeitgenössische italienische Literatur informiert als etwa die schwedischen, weil der feste Ladenpreis für Bücher in Schweden seit langem aufgehoben sei. Die schwedische Kommissarin korrigierte mich mit dem Hinweis, daß man in Schweden durchaus Italo Calvino und Elsa Morante kenne. Ich habe dann erklären müssen, daß der eine zehn Jahre, die andere zwanzig Jahre tot sei.

Drittens: Die bereits genannten Buchdrogerien. Da sie nur allergängigste Ware führen und mit ungeschultem Personal arbeiten, das heißt, den festen Ladenpreis mißbrauchen, können sie ihn auch umstandslos aufgeben.

Alle drei verbindet die Internet-Utopie, deren Folgen Robert Darnton in seinem auch von Schiffrin zitierten Aufsatz beschreibt:»Kurioserweise sind heute die treuesten Anhänger der Internet-Utopie zugleich Verfechter einer strikten Marktpolitik. Ginge es nach ihnen, würden es allein die segensreichen Kräfte des Marktes schon richten. Freie Unternehmer auf einem freien Markt, dazu eine Handvoll guter Suchmaschinen und das Wunder nimmt seinen Lauf. Das Wunder: Qualität setzt sich durch, der Schrott verschwindet wie von selbst … eine solche Botschaft klingt wie aus dem Mund der Dickens-Figur Mr. Micawber – dessen Motto lautet:›Erst mal gar nichts unternehmen, alles andere wird sich schon ergeben.‹«

Abgesehen von der immer noch ungeklärten Frage, ob die keineswegs virtuellen Versandkosten den virtuellen Bestellrausch beenden, bleibt die Frage: Was ergibt sich?

Einige Perspektiven

Natürlich ist der Buchmarkt voller Wunder, aber die Wunder des Markts sind ihm nicht geläufig, jedenfalls nicht die, nach denen Qualität die hohe Auflage bringe und Schrott wie von selbst verschwinde. Zumeist verhält es sich umgekehrt: Qualität wird, besonders wenn sie in ungewohnter Form auftaucht, in der Regel *nicht* erkannt, schon gar nicht vom Markt. Das Neue kommt auf leisen Sohlen, in kleinen Auflagen. Wer kümmert sich um diese kleinen Auflagen? Oder auch: Wie groß ist das Interesse der Gesellschaft am Neuen, also an ihrer Zukunft?

Die Buchkonzerne haben hier in jüngster Zeit klare Antworten gegeben: »Wurde im Rahmen ökonomischer Vernunft alles getan, um einen Autor durchzusetzen und ist dessen langfristige Erfolglosigkeit absehbar, wird auch im Rahmen des zweiten Kalküls (das auf einen langfristigen Autoren- bzw. Programmaufbau zielt) das fortgesetzte Verlegen abgelehnt.« So steht es im ›Manifest‹ des S. Fischer Verlags. Der S. Fischer Verlag ist der Verlag Franz Kafkas. Hier die Gesamtauflagen von Kafkas Büchern zu seinen Lebzeiten: »Betrachtung« 800 Exemplare, »Der Heizer« 3000, »Die Verwandlung« 2000, »Das Urteil« 2000, »In der Strafkolonie« 1000, »Ein Landarzt« 1000. Und diese Zahlen gelten nicht nur für die 12 Lebensjahre Kafkas, in denen die Bücher erschienen, sondern einzelne Titel waren noch über 10 Jahre nach seinem Tod lieferbar. Das ist doch wohl eine »langfristige Erfolglosigkeit«, oder? Kurz, den Buchkonzernen sind solche Autoren piepe. Und sie nennen auch Mindest-auflagen, so Rowohlt: 6000 Exemplare müssen es schon sein.

Aber nicht nur das. Wie in den USA werden auch bei uns die Konzerne größer, aber die von ihnen kontrollierten »profit center« immer kleiner. Das heißt, der guten alten Quersubventionierung (Typus: Schmonzes finanziert Lyrik) werden die Flügel derart beschnitten, daß ihr die Lust auf Kunstflüge vergeht. Das Hauptprogramm muß sich tragen, die Taschenbücher müssen sich selbst finanzieren, die Zeitschriften Gewinne machen und die Kinderbücher ebensowenig Verluste wie die Jugendbücher. Eine Kette, deren Ende abzusehen ist: am Ende muß nicht nur jede Sparte, sondern jedes Buch seine Kosten decken.

Es scheint ziemlich deutlich, daß damit die Zukunft in

die Hände der unabhängigen Verlage gegeben ist. Fragt sich, ob sie sie halten können. Da muß sich die Gesellschaft etwas einfallen lassen. Es ist nicht viel, denn im Prinzip genügen den unabhängigen Verlagen vier Voraussetzungen:
• Der feste Ladenpreis muß erhalten bleiben.
• Die Bibliotheken müssen in die Lage versetzt werden, alle wichtigen Erstausgaben zu erwerben.
• Übersetzungen müssen subventioniert werden.

Dazu eine Erläuterung: Hier wäre eigentlich die EU zuständig, aber was sie interessiert (der Markt) und was nicht (die Kultur der europäischen Nachbarn), habe ich schon erwähnt. Übersetzte Bücher haben jedoch doppelte Honorarlasten (Autor und Übersetzer) zu tragen, was dazu führt, daß die Zahl der Übersetzungen immer noch lächerlich gering ist (obwohl ins Deutsche noch vergleichsweise viel übersetzt wird). Hier muß sobald wie möglich entschieden werden, ob die Einführung des Euro der Beginn eines Interesses oder das Symbol für die Ignoranz gegenüber den intellektuellen, künstlerischen oder wissenschaftlichen Leistungen unserer europäischen Nachbarn sein wird.
• Das Netz der unabhängigen Buchhandlungen muß erhalten bleiben.

Nur sie sind nämlich in der Lage, die edleren Teile der Bücherwelt – den literarischen Erstling, das schwierige Kunstbuch, den politischen Essay oder die konträre Analyse – vorrätig zu halten und zu verbreiten. Ich weiß, ich weiß (und auch Schiffrin weist ja darauf hin), das ist eine unerhört schwierige Aufgabe, aber die unabhängigen Verlage sollten sich nicht täuschen: Quersubventionierung gilt auch hier. Denn wenn wir mit dem Gutverkäuflichen, das wir auch andernorts verkaufen können, das Schwerverkäufliche finanzieren, wo sollen wir dann das Schwerverkäufliche verkaufen, wenn die Buchketten nur das Gutverkäufliche verkaufen? Hier müssen also (wie schon in Frankreich und in den USA) Kooperationsmodelle bedacht werden, sowohl zwischen den unabhängigen Verlagen und den unabhängigen Buchhandlungen, wie auch untereinander.

Hören wir zuerst die Klage eines großen Verlegers, Samuel Fischer, aus dem Jahr 1926:

»Es ist sehr bezeichnend, daß das Buch augenblicklich zu den entbehrlichsten Gegenständen des täglichen Lebens gehört. Man treibt Sport, man tanzt, man verbringt die Abendstunden am Radioapparat, im Kino ... man findet keine Zeit ein Buch zu lesen ... Unsere bürgerliche Welt, die sehr schnell geneigt ist, sich jeder zur Mode gewordenen Lebensform anzupassen, kann nicht genug tun in der Abkehr von alter bürgerlicher Tradition ...«

Es ist immer wieder schön, einen sehr ehrenwerten Kollegen aus alten Zeiten herüberjammern zu hören, aber was Samuel Fischer da über das bürgerliche Publikum sagt (und er, als *der* Verleger für das bürgerliche Lesepublikum, mußte es wissen!), bezeichnet den Anfang einer Entwicklung, die dann in den siebziger Jahren ihr Ende fand, mit dem Ende des ›Lesekanons‹ in allen seine Formen. Das bürgerliche Lesepublikum hatte sich, als organisiertes, kollektiv lesendes oder reagierendes, verlaufen und die Verleger haben seitdem mit »wilden Lesern« (wie ich es genannt habe) zu rechnen, mit einer höchst ambivalenten Spezies, die zwar gezwungen ist, auf eigene Faust zu lesen, aber deswegen noch lange keine autonomen Entscheidungen trifft, sondern durchaus verführbar bleibt. Eine schwierige Aufgabe für den Verleger der Zukunft: Wie respektiere ich die Autonomie des Lesers und wie verführe ich ihn, respektive wie lenke ich ihn von anderen Verführungen ab?

Betrachtet man die gewaltig gestiegenen Abiturientenzahlen der letzten Jahrzehnte, so entspricht ihnen ja keineswegs ein gewaltig angestiegenes Lesepublikum; früher war der Ungebildete ein Angestellter zweiter Klasse, heute führen mangelnde PC-Kenntnisse eher in den beruflichen Abstieg als mangelnde Bildung. Verführung ist unter solchen Bedingungen nicht ganz einfach, wenn auch nicht ganz aussichtslos.

Ich beginne mit dem offensichtlichsten, dem Objekt Buch, seiner einfachen Handhabung, seiner typografischen Schönheit, seinem Geruch, seiner erotischen Haptik. In einer Welt des Konsums, der geruchlosen Glätte und des Wegwerfens hat da die Welt des Gedruckten und der Genuß des Eselsohrs oder der Randbemerkung gute Überlebenschancen. Das sieht sogar Bill Gates, Chef von Microsoft: »Selbst ich mit meinen teuren High-End-Bildschirmen, der sich gern als Verfechter des Internet-Lifestyles ansieht, muß sagen: Alles über vier, fünf Seiten drucke ich mir lieber aus. Die Ausdrucke kann ich dann überallhin mitnehmen und am Rand meine Notizen machen.«

Weiter: Das zunehmende Tempo unserer Arbeits- und Lebensumstände benachteiligt die Gelassenheit der Erinnerung, die Fähigkeit, Erfahrungen zu vergleichen, die Geduld, sich auf ein Buch einzulassen. Eine anscheinend ungünstige Perspektive, die sich freilich in eine günstige verkehrt, sowie man konzediert, daß das Tempo zunehmen wird. Wird aber unser Lebensrhythmus schneller, so kann man für eine vergleichsweise nahe Zukunft eine Geschwindigkeit voraussagen, deren Höhe immer mehr Reisende zur Notbremse greifen läßt. Günstige Aussichten: Bücher verlangsamen die Zeit.

Schwieriger verhält es sich damit, daß Bücher (wiederum: in ihren edlen Abteilungen) eine andere Welt als die unsere vorstellbar machen. Sowohl das Andere oder das Neue wie auch dessen Imagination sind aber mehr oder weniger beschwerlich, um nicht zu sagen anstrengend. Ob solche Bemühungen in eine Welt des *fast food* passen, bleibt fraglich. Aber auch hier gilt die Hoffnung: nach fast food Schwarzbrot, nach der Dürre der Wiedererkennungsliteratur die fetten Weiden der literarischen Lüge, nach mageren Fakten die Fülle der heiteren gesellschaftlichen Phantasie.

So könnte man auch der aberwitzigen Zunahme der Informationsfülle zwei günstige Prognosen abgewinnen:

Einmal verlangt Informationsfülle nach Auswahl und die

kann nur ein ausgeruhter, sozusagen buchgewohnter Kopf leisten.

Zweitens verbergen sich hinter den Informationsmassen oft ebenso große Informationslücken – der Buchleser kann sich keinesfalls darauf verlassen, daß alles, was vorhanden ist, ihm auch vor Augen geführt wird; vielmehr muß er sich immer öfter regelrecht bemühen um das, was ihn besonders interessiert.

Schwieriger ist es mit der Bilderflut. Sie steigt und steigt und der Text geht in ihr unter. Es ist offensichtlich, daß überall – gedruckt oder gesprochen – die Texte ab- und die Bilder zunehmen. Das kann (und man muß befürchten: wird) schwere politische Folgen haben, denn Diskussionen beispielsweise über Irrtümer, Zukunft oder Alternativen lassen sich nicht mit Bildern führen. Unter diesem Aspekt – nämlich: wie wäre der allgemeine Gebrauch der Schrift zu verteidigen? – wirkt die Auseinandersetzung um den Gebrauch der Rechtschreibreform nicht nur deutsch oder lächerlich, sondern kontraproduktiv: da soll etwas in der *Form* vereinfacht werden, das in der *Sache* kompliziert ist und bleibt.

Die größte Hoffnung für die Zukunft der Bücher ist allerdings die buchindustrielle Ideologie selbst. Wenn Schiffrin recht hat (und er hat recht), daß diese Ideologie auf immer höhere Auflagen (für notabene immer weniger Titel) hinausläuft und daß die marketingorientierten Buchkonzerne mit immer höheren Renditevorgaben in die selbstgegrabene Grube fallen, so werden die unteren Etagen, in denen nicht nur die mittleren Auflagen und die mittlere Rendite wohnen, sondern in denen auch der Bär tobt, immer freier.

Ohne daß in den oberen, den Konzern-Etagen, die Profite größer würden. Die Rendite-Luft bleibt auch dort dünn, denn der Buchmarkt, dieser lächerliche Markt, der eigentlich gar keiner ist, hält die großen industriellen Profite einfach nicht bereit.

Irgendwann werden die Herren in ihre Bücher schauen, Kontobücher versteht sich, und eine Konferenz der Abteilungsleiter einberufen, allesamt Nicht-Bücherleser (die Lektoren sind schon *outsourced*). Da sitzen sie dann zusammen, die Computerpanegyriker und Marktführer, die Pressemasseure und Marketingequilibristen, die Betriebsgastwirte und Unternehmensvorturner, die Bilanzfeiler, Rechtequirler und Schminktöpfer. Und alle alle sagen: »Laßt uns umziehen in ein anderes Gewerbe, denn etwas besseres als den Tod finden wir überall.«

Sodaß wahr werden könnte, was der große spanische Verleger Carlos Barral schon vor Jahren prophezeit hat.

»Ich bin der festen Überzeugung, daß das Verlagswesen in den Händen von Kaufleuten eine vorübergehende Erscheinung ist.«

Norberto Bobbio   *Rechts und Links*
Gründe und Bedeutungen einer politischen Unterscheidung
»Für diese italienische Einmischung, mit Lust am Demo-
kratischen, mit Leidenschaft gegen die Denunziation von
Demokratie als Gleichmacherei, kann man nur dankbar
sein.« Die Zeit

Aus dem Italienischen von Moshe Kahn
WAT 311. 96 Seiten

Horst Bredekamp   *Sankt Peter in Rom*
und das Prinzip der produktiven Zerstörung
Bau und Abbau von Bramante bis Bernini
Der erstmalige minutiöse, auch die neuesten Forschungen
umgreifende Bericht über einen Abriß als Neubau, recht-
zeitig zum Heiligen Jahr.

Kleine Kulturwissenschaftliche Bibliothek
Gebunden. 160 Seiten mit zahlreichen Abbildungen

Paolo Flores d'Arcais   *Die Linke und das Individuum*
Ein politisches Pamphlet
Eine Provokation: Warum darf sich die Linke nicht an der
Zerstörung des Individuums durch die moderne Gesell-
schaft beteiligen?

Aus dem Italienischen von Roland H. Wiegenstein
wat 283. Originalausgabe. 112 Seiten

Robert Darnton   *Glänzende Geschäfte*
Die Verbreitung von Diderots Encyclopédie oder:
Wie verkauft man Wissen mit Gewinn?
Die Geschichte eines der umfangreichsten und spektaku-
lärsten Geschäfte, das je mit einem Buchprojekt verbunden
war.

Aus dem Englischen und Französischen von Horst Günther
Gebunden. 368 Seiten mit zahlreichen Abbildungen

Carlo Ginzburg   *Spurensicherung*
Die Wissenschaft auf der Suche nach sich selbst
Die drei wichtigsten Aufsätze des »Querdenkers« unter den
Historikern: Indizien als historische Methode, Mentalität
und Ereignis, Kunst und soziales Gedächtnis.

Aus dem Italienischen von Gisela Bonz und Karl F. Hauber
Kleine Kulturwissenschaftliche Bibliothek
Englische Broschur. 112 Seiten mit Abbildungen

Franz Kafka   *Ein Landarzt*
Kleine Erzählungen
Der schönste Erzählungsband Kafkas, in der Fassung der
Erstausgabe. Mit einem Bericht über die einzelnen Erzäh-
lungen und ihre Quellen.

Herausgegeben und mit einem Nachwort von Klaus Wagenbach
SALTO. Rotes Leinen. 96 Seiten mit Abbildungen

Pier Paolo Pasolini   *Freibeuterschriften*
Die Zerstörung der Kultur des Einzelnen durch die Konsumgesellschaft
Pasolinis berühmte Polemiken gegen die Konsumgesellschaft, erstmals in einer vollständig revidierten und erwei-
terten Neuausgabe.

Neu herausgegeben von Peter Kammerer
Aus dem Italienischen von Thomas Eisenhardt
WAT 517. 176 Seiten

Wolfgang Ullrich   *Mit dem Rücken zur Kunst*
Die neuen Statussymbole der Macht
Moderne Kunst im Umfeld von Geld und Macht: Wie
konnte sie zu einem der wichtigsten Statussymbole unserer
Zeit werden? Und was sagt dies über die Kunst selbst aus –
sowie über diejenigen, die sich ihrer bedienen? Wolfgang
Ullrich gibt überraschende Antworten.

Kleine Kulturwissenschaftliche Bibliothek
Gebunden. 128 Seiten mit zahlreichen Abbildungen

Jean-Pierre Vernant   *Zwischen Mythos und Politik*
Eine intellektuelle Autobiographie
Das persönlichste Buch des Doyens der französischen Al-
tertumswissenschaft.
»In seinem neuesten Buch vereint Vernant souveränen
Überblick mit entspannter Ausgeglichenheit. Hier wird
Wissen zu Weisheit.«   Jorge Semprun, Le Monde

Aus dem Französischen von Lis Künzli und Horst Günther
Gebunden. 360 Seiten

Schreiben Sie uns eine Postkarte – wir schicken Ihnen
gerne unseren jährlichen Almanach *Zwiebel*, der Sie über
das Programm informiert. *Kostenlos, auf Lebenszeit!*

Verlag Klaus Wagenbach   Emser Straße 40/41   10719 Berlin